Een waanzinnig gaaf land

Bas Heijne

Een waanzinnig gaaf land

Opmerkingen over Nederland

2017 Prometheus Amsterdam

Eerste druk 2016
Derde druk 2017

Omslagontwerp CMRB
Foto omslag Getty Images
Foto auteur Eddo Hartmann
Zetwerk Mat-Zet bv, Soest
www.uitgeverijprometheus.nl
ISBN 978 90 446 2955 2

‘Dit is gewoon een waanzinnig gaaf land.’

MINISTER-PRESIDENT MARK RUTTE, 2015

Inhoud

I

Cultuuromslag

•

Cultuuromslag

Ha, een rapport.

Het personeel van de NS heeft, zo blijkt, te kampen met een hardnekkig 'mentaliteitsprobleem'. Onafhankelijk onderzoek wijst uit dat conducteurs in de meeste gevallen vertragingen niet omroepen. Uit angst voor boze reizigers. Of ze hebben het even te druk met het 'instapproces'. Wanneer conducteurs bezig zijn, zou de machinist van de trein het slechte nieuws kunnen omroepen, maar, heel vervelend, die is daar mentaal niet voor uitgerust. Jammer, maar machinisten, meldt onderzoeksbureau Horvat, zijn notoire 'einzelgängers'. Het woord 'servicegerichtheid' kennen ze niet.

Aan de andere kant, dat maakt het ook wel lastig, is het staand beleid van de NS om een lelijk woord als 'vertraging' te vermijden. Omroepers op de stations mogen van de leiding het woord niet gebruiken. Ah.

Wat nodig is? Een *cultuuromslag*. Maar die is moeilijk te bewerkstelligen, stelt het rapport, want bij de NS is men nu eenmaal niet gewend 'elkaar de maat' te nemen. Promotie maak je wegens je dienstjaren, niet op basis van je kwaliteiten.

Rapporten in Nederland – onmachtige bezweringen, papieren doekjes voor het bloeden. Het rapport over ontwijkcultuur bij de NS is opgestuurd naar de Kamer. Daar worden er scherpe vragen over gesteld. De minister belooft beterschap. Over een paar jaar wordt er een onafhankelijk bureau ingeschakeld, om te onderzoeken wat er toch mis is, daar bij de NS.

Het is een doofpotcultuur, maar dan omgekeerd: juist door alles openbaar te maken, door het opzichtig benoemen van mis- en wantoestanden, wordt de schuldvraag vermeden, blijven consequenties uit.

Iemand zou al die rapporten eens naast elkaar moeten leggen, om te kijken wat ze met elkaar... wacht, ik doe het zelf even.

Het maakt niet uit welk rapport je pakt, dit komt aan het licht: een cultuur van onderling wantrouwen en wegkijken, gebrek aan verantwoordelijkheidsbesef, van bovenaf opgelegde regels en doelstellingen die zo weinig draagvlak op de werkvloer hebben dat ze het duikgedrag alleen maar versterken. Doorgeschoten eigengereidheid, gebrek aan openheid, verziekte werksfeer, bestuurders die het eigen belang boven het algemeen belang stellen.

Oplossing? Meer transparantie. Bezield leiderschap. Een cultuuromslag.

Het is steeds dezelfde litanie. Steeds opnieuw wordt hetzelfde recept uitgeschreven. Aan het schandaaltje rond het marineonderdeel Defensie Materieel Organisatie zie je hoe het werkt: diefstal, intimidatie, wantrouwen, klokkenluiders opzijschuiven. De directeur van DMO vertelt niets aan de secretaris-generaal. De secretaris-generaal vertelt niks aan de minister. De minister spreekt de directeur van DMO, die hem niets vertelt. De minister vertelt de Kamer – niks. Uiteindelijk komt het toch allemaal in het nieuws, en dat is heel goed, zegt de minister, want dan zie je dat 'de controle van de democratie goed wordt uitgevoerd'.

Op die laatste zin kauwen we even. Heel de zieke Hollandse mentaliteit ligt erin besloten: openheid dient enkel om de kwalijke zaken toe te dekken. Het zijn incidenten, blafte de verantwoordelijke minister in de Tweede Kamer. Zijn secretaris-generaal valt ook niets te verwijten. Dat hij niets aan de minister had verteld, kun je hem niet kwalijk nemen, want hij was de feiten gewoon vergeten.

Iedereen die een blik op de feiten werpt, ziet dat het geen incidenten zijn. Het gaat om een cultuur.

Het probleem is dat de cultuur bij het marineonderdeel DMO niet verschilt van de cultuur op het ministerie van Defensie zelf. Wie een kijkje wil in de hoofden van hoge ambtenaren en hun afdekcultuur, moet het rapport-Davids (2010) vanonder uit de stapel vissen. Wie wil weten uit welke cultuur een Hollandse politicus als Hans Hillen zelf afkomstig is, moet het rapport van de commissie-Frissen (2010) maar eens opslaan. Onderling wantrouwen, gebrek aan transparantie – in het CDA gaat het niet anders dan bij de NS, op het departement van Defensie hangt dezelfde verpeste sfeer als bij de marine in Den Helder. Dat komt doordat al die verschillende culturen niet op zichzelf staan: ze komen uit een en dezelfde cultuur voort. *Onze* cultuur. Die cultuur geeft ons de wegduikende conducteur en de stelende marinier. Die cultuur heeft ons vooral een torenhoge stapel rapporten opgeleverd.

•

Liberale hypocrisie

Wat bezielt onze liberalen? Terwijl overal in de wereld de brandhaarden hoog oplaaiden, stelde VVD-politica Jeanine Hennis-Plasschaert voor om in Nederland wat grondrechten aan te passen: het dragen van hoofddoekjes in openbare instellingen als scholen, universiteiten en gemeentehuizen zou verboden moeten worden. Niet alleen hoofddoekjes, trouwens. *Alle* religieuze symbolen. 'Alle religies zijn daarbij voor mij gelijk.' Hennis-Plasschaert zou over deze kwestie graag 'in alle rust' het debat willen voeren. Maar dat zou vast niet lukken, want 'de christelijke partijen beschouwen dat gelijk als een aantasting van de vrijheid van godsdienst'.

Die religieuzen ook: altijd maar nemen. Altijd maar respect eisen, voorrechten claimen, en intussen de indruk wekken dat ze superieur zijn aan mensen die hun god links laten liggen.

Het flirterige interview met Hennis-Plasschaert ('Vind je dat ik te vaak hetzelfde draag?') riep veel boze reacties op, maar niet alleen van gelovigen. Het waren vooral liberale geesten die Hennis-Plasschaert 'in alle rust' uitlegden dat de scheiding tussen Kerk en Staat niks te maken heeft met het dragen van religieuze symbolen door een individu. Bij hoge publieke functies ligt dat anders. Daar wordt gezag getoond door uniform of toga – niemand wil een agente met een hoofddoekje of een rechter met een keppeltje. Daarover hoeft geen discussie te zijn.

Scheiding tussen Kerk en Staat komt voort uit de Verlichting; het is diezelfde Verlichting die het individu de vrijheid geeft te geloven wat hij wil, zolang hij een ander hetzelfde gunt. Je mag die overtuiging ook tonen in het openbaar, dat is essentieel voor die vrijheid. Het heeft weinig zin alleen thuis op de bank een hoofddoek om te doen. Het is zo simpel, dat je het een liberale politica niet zou moeten hoeven uitleggen. Hennis-Plasschaert zet verlichtingsargumenten in tegen de Verlichting. Uit naam van een algemene neutraliteit wil ze persoonlijke vrijheid inperken.

Die kronkel is alleen logisch wanneer je de hoofddoek niet als een uiting van vrijheid ziet, maar als een aanslag op jouw vrijheid. Zo denkt de PVV erover: hoofddoekjes zijn een uiting van het kwaad. De apothekersassistente met hoofddoek is een vooruitgeschoven post van een enge bezettingsmacht. De PVV heeft geen last van de ingestudeerde neutraliteit van Hennis-Plasschaert. Kruis en keppeltje horen bij ons, de hoofddoek niet.

Je kunt het daarmee oneens zijn, maar hypocriet is het niet. De PVV mag nog zo vaak de geloofsartikelen van de Verlichting aanhalen wanneer 'de achterlijke islam' bestreden moet worden, de beweging zelf is een product van de Contraverlichting. De nadruk ligt namelijk niet op gedeelde menselijke waarden, maar op onze bedreigde eigenheid. Vrijheid en gelijkheid zijn voor hen *relatieve* begrippen. Het gaat om onze vrijheid, onze cultuur, onze geschiedenis, onze manier van leven.

Voor oprechte liberalen is zulke cultuurpolitiek uit den boze. Wat voor de een geldt, geldt ook voor de ander, dus: alle religieuze symbolen uit overheidsinstellingen. Maar juist die schijn van neutraliteit maakt het gebabbel van Hennis-Plasschaert ergerlijk. De afkeer van de hoofddoek in de samenleving gaat terug op een cultureel onbehagen – dat weet zij ook wel. Maar dat kan alleen *gesuggereerd* worden, want het gaat recht in tegen de liberale principes.

De uitspraak van Mark Rutte dat Nederland moet worden 'teruggegeven' aan de Nederlanders laat eenzelfde dubbelhartigheid zien. Je kunt die woorden liberaal interpreteren, als een statement tegen overheidsbemoeienis – of als een geniepige bekering tot het opkomende antiverlichtingsdenken, waarin cultuur en collectieve eigenheid zaligmakend zijn.

In die bekering zijn Ruttes voormalige partijgenoten Verdonk en Wilders hem voorgegaan. Het wordt tijd dat de liberalen open kaart spelen. Hoe verhoudt hun liberalisme zich met de groeiende behoefte aan culturele identiteit? De gespeelde neutraliteit van Hennis-Plasschaert is, ironisch genoeg, even krampachtig als die van politiek correcte bestuurders die het kruis van de mijter van Sinterklaas halen en de kerstboom uit het schoolgebouw, uit angst 'andersgelovigen' te kwetsen. Dan ga je de discussie niet aan, maar juist uit de weg.

Daadkracht

In de Tweede Kamer ging het weer over de Nederlandse Spoorwegen. Ruim tweeduizend jaar judeo-christelijke beschaving en nog rijden de treinen niet op tijd. Het is om gek van te worden.

Aanleiding dit keer was een geruchtmakend interview dat Marion Gout, de directeur van ProRail, aan *NRC Handelsblad* gaf. Gout had zich onthouden van grote beloften: ProRail kreeg nu een 4 van het publiek en daar kon zij niet een-twee-drie een 10 van maken. 'Ik kan geen ijzer met handen breken. (...) Je moet gewoon de tijd nemen.'

In een land waar het altijd vijf voor twaalf is, vallen zulke woorden niet goed. Bovendien schaarde Gout zich niet opzichtig aan de kant van de Nederlandse burger, in dit geval de reiziger. Een doodzonde: wil een bestuurder tegenwoordig overleven, dan zal hij moeten doen alsof hij de pijn van de burger voelt. Dat leek Gout niet te beseffen. Erger nog, ze zei unverfroren dat ze zich verantwoordelijk voelde voor haar klanten, de vervoerders, en niet voor de reizigers. *Niet goed.* Ze had een Verbond met de Reiziger moeten sluiten. Ze had met een Aanvalsplan tegen de Bevroren Wissel moeten komen. Ze had de OORLOG tegen bladeren op de rails moet afkondigen.

Kamerleden aarzelden niet. VVD'er Charlie Aptroot, die kleine meester van de gespeelde verontwaardiging: 'Dit kán gewoon niet. Ik wil gewoon een directeur die zegt: dit gaan we in orde maken.' D66: 'Wij willen op korte termijn verbeteringen zien.' En de PVV: 'Ze kijkt vanuit een ivoren toren op de reiziger neer.'

Het is een heel oud rollenspel. In 1937 schreef de Tsjechische schrijver Karel Čapek een krantenstuk over twee onverbeterlijke mensensoorten. Er zijn mensen die een talent hebben om te zeggen wat er gedaan zou moeten worden. De overheid moet, de gemeente moet, de minister moet, schrijvers moeten. Er moet een wet komen, er moet onmiddellijk een regeling worden ingevoerd, er moet een instelling komen, er moet geld worden gevonden.

Over die eerste categorie mensen kun je twee dingen zeggen, schrijft Čapek. Ze stellen ten eerste altijd dingen voor die urgent zijn en in het belang van de burger – en die in een oogwenk geregeld zouden kunnen worden, als de desbetreffende bestuurder maar over genoeg daadkracht en toewijding beschikte. Twee: het gaat altijd over zaken die door iemand anders moeten worden uitgevoerd. 'Wat gedaan zou moeten worden, is altijd de verantwoordelijkheid van een ander. Onze hervormingsfantasieën nemen de hoogste vlucht wanneer we die hervormingen aan iemand anders kunnen opdragen.'

Tot de tweede categorie mensen van Čapek behoren we bijna allemaal: de mensen die *bezwaren* opwerpen. Het is allemaal complexer dan het lijkt. Het is technisch, juridisch, praktisch domweg niet uitvoerbaar. 'Er zit een bezwaarlijke kant aan. Onmogelijk in de huidige situatie. Het zou heel mooi zijn, maar in de praktijk niet haalbaar. Het financieel draagvlak ontbreekt. Je kunt niet zomaar een hele organisatie in één klap veranderen.'

Dit soort bezwaren, schrijft Čapek, zijn altijd gebaseerd op de praktijk. Men spreekt vanuit lange ervaring en beroept zich op werkelijkheidszin. En: ze worden alleen gebruikt wanneer óns een opdracht wordt toegewezen, aan onze afdeling of de eigen beroepsgroep. Als het over andere sectoren dan de onze gaat, heeft niemand het meer over complexiteit en haalbaarheid.

Die twee menssoorten houden elkaar volmaakt in evenwicht. Op ieder 'zou moeten' volgt onherroepelijk 'zo gemakkelijk gaat dat niet'. Čapek: 'Het is aangenaam in te spelen op de wensen van de burger, maar net zo plezierig om die veilig weg te parkeren.'

Daarna modderen we gewoon voort.

Het zou helpen, schrijft Čapek in 1937, wanneer we onze eigen verantwoordelijkheid zouden nemen. Maar ook wanneer het in Nederland anno nu over de eigen verantwoordelijkheid gaat, wordt altijd die van een ander bedoeld.

•

Een erfenis

In de Tweede Kamer werd de politicus Max van der Stoel (1924-2011) herdacht. Er was, dat zal niemand verbazen, enkel lof voor de oud-minister van Staat en Buitenlandse Zaken. Ik vat het even samen: oerdegelijk, vasthoudend, bescheiden, vastberaden, onvermoeibaar. Partijgenoot Job Cohen: 'Een baken van rechtvaardigheid voor de wereld.' Mark Rutte: 'De wereld was zijn thuis. [...] Een mooi en groot man, die wereldwijd heel wat brandjes heeft voorkomen en geblust.' In een eerdere reactie prees onze premier hem tevens als internationaal voorvechter van mensenrechten.

Mensenrechten – ik wil niet vervelend doen, maar volgens mij was het de eerste keer in zijn leven dat Mark Rutte het woord in de mond nam. Dat is geen toeval. Wanneer je de kwalificaties waarmee Van der Stoel het graf in geprezen werd eens goed bekijkt, valt je meteen op hoe ver ze af staan van het huidige politieke klimaat. Oerdegelijk en bescheiden doen het gewoon slecht op televisie, daar kunnen we eerlijk over zijn. En een politicus die de wereld zijn thuis noemt, kan in het huidige Nederland wel inpakken. En *mensenrechten*, hou me vast. Ieder lid van Rutte I benadrukt steeds opnieuw dat vertegenwoordigers van ons land in het buitenland zich bij alles dienen af te vragen: wat heeft Nederland eraan? Wat levert het ons op?

Mensen vragen zich wel eens af hoe het zou zijn wanneer Jezus terug op aarde kwam in onze tijd. Zo groots hoeft het niet: stel je gewoon eens voor dat een man als Van der Stoel in de huidige Nederlandse politiek zou opduiken. Ik zeg het voorzichtig: geen hartelijke ontvangst.

Max van der Stoel mag heel wat brandjes wereldwijd hebben geblust, de Hollandse veenbrand moest hij met lede ogen aanzien. Toen ik hem vele jaren terug vroeg deel te nemen aan mijn serie 'tafelgesprekken' voor NRC *Handelsblad*, zei hij meteen ja. Aan het eind van het lange, geanimeerde gesprek in een Haags restaurant stelde hij tevreden vast: 'Ik heb mijn hart over Nederland gelucht.'

Wat hem dwarszat? Nederland raakt steeds meer in zichzelf gekeerd. Er wordt door de politiek steeds slordiger met staatsrechtelijke principes en instituties omgegaan. En het politieke debat in Nederland, stelde hij ook nog fijntjes vast, bevindt zich op 'een bedenkelijk laag niveau'.

Toen ik hem sprak, was hij zelf al een instituut geworden – dat door zijn eigen partijgenoten van de PvdA nauwelijks meer bezocht werd. 'Van de generatie-Kok ken ik nog wel iedereen. Van de nieuwe generatie niemand.'

Tijdens dat bistrogesprek ontdekte ik gaandeweg wat Van der Stoel zo bijzonder maakte: de volslagen pragmatische wijze waarop hij zijn idealen probeerde te verwezenlijken. Elke suggestie van mijn kant over grote bevlogenheid en weidse vergezichten over een betere wereld werden vriendelijk maar beslist terzijde geschoven.

Met smaak vertelde hij hoe hij in brandhaarden onwillige politici aan de onderhandelingstafel had gekregen. 'Ik kan goed tegen beledigingen.'

Wanneer het niet goedschiks lukte, moesten harde middelen worden ingezet. 'Je begint er natuurlijk mee mensen aan te spreken op hun gevoel voor redelijkheid. Als ze vervolgens blijven dwarsliggen, dan wordt het tijd om de duimschroeven aan te draaien.'

Hij was, opperde ik, dus eigenlijk een machiavellistische idealist?

'Zo kun je dat wel zeggen, ja.'

Had hij de vader van Máxima ook zo aangepakt? Bij haar huwelijk met Willem-Alexander was Van der Stoel naar Argentinië afgereisd om de omstreden politicus weg te houden van de feestelijkheden. 'Het was betrekkelijk eenvoudig om die man duidelijk te maken dat, wanneer hij wilde dat zijn dochter een beetje fatsoenlijk in Nederland zou inburgeren, hij beter kon thuisblijven.'

Let op dat 'die man'. Daar zit alles in.

Als geen ander begreep Van der Stoel dat idealisme geen zaak van grote woorden op persconferenties en cameramomentjes was, maar een stug proces dat zich grotendeels achter de schermen afspeelde. Ook had hij geen last van morele smetvrees: hij ging gerust met mensen aan tafel zitten die hij diep in zijn hart verafschuwde. 'Ik ga ervan uit dat alle mensen zowel goede als slechte eigenschappen hebben. Aan die gedachte klamp ik me dan maar vast. Al kost het me soms wel moeite.'

Dat is zijn erfenis: het besef dat idealen zich moeten bewijzen in een onvolkomen wereld. Het besef dat realiteitszin iets anders is dan cynisme.

•

30 procent kleur

Rellen, kopstoten, leuzen, spreekkoren, scheldpartijen in de kleedkamer – wie ooit op het idee kwam dat sport verbroedert, heeft ons opgezadeld met een hardnekkige mythe. In Frankrijk liggen de kaarten inmiddels op tafel: was er in 1998 nog euforie over een veelkleurig nationaal elftal dat er met de wereldbeker vandoor ging, tegenwoordig is diezelfde kleur het onderwerp van een nationaal schandaal.

Eind 2010 was er een bijeenkomst van voetbalbonzen waar werd gepleit voor quota: niet meer dan 30 procent gekleurde spelers zou tot de opleiding moeten worden toegelaten. De bondcoach van 'Les Bleus', Laurent Blanc (*sic*) had zich beklaagd over het feit dat scouts gefixeerd waren op een en hetzelfde fysieke type: groot, breed en sterk. En wie zijn er groot, breed en sterk? 'De zwarten.' Vervolgens pleitte hij voor andere criteria, waardoor spelers zouden worden aangetrokken 'met onze cultuur, onze geschiedenis'.

De zaak werd uitgezocht. De Franse minister van Sport haastte zich te verklaren dat quota wettelijk niet waren toegestaan; spelers in opleiding zouden moeten leren 'hun teamshirt te respecteren'. De zwarte tennisser Yannick Noah verklaarde dat hij altijd wel had vermoed dat dit soort dingen voorkwamen – nu was het tijd voor 'een open debat'.

Waarover zou dat debat moeten gaan? In Nederland spelen soortgelijke gevoelens: hier hadden we het schandaaltje van de Utrechtse marathon, die voortaan, een beetje zielig, de '*Dutch Battle*' heet. Alleen gepatenteerde Nederlanders worden nog uitgenodigd om mee te doen. De laatste jaren was er namelijk geen lol meer aan, altijd ging er een Keniaan met het prijzengeld vandoor. Dat werkte ontmoedigend voor Nederlandse marathonlopers, die, de cijfers lieten het zien, per jaar langzamer gingen lopen. Een van hen merkte voor de camera van *EenVandaag* op dat het gewoon niet eerlijk was: Afrikanen begonnen namelijk al op hun zevende, achtste met rondjes rennen. Toen ik me hardop afvroeg waarom een instituut als de Universiteit Utrecht als sponsor van een dergelijk benepen evenement vermeld stond, reageerde een Hollandse marathonloper met de geruststelling dat van discriminatie geen sprake was: buitenlandse hardlopers waren immers wel uitgenodigd voor de halve marathon. En bij de vrouwen. Ik verzin het niet.

Vroeger lag er een etiket klaar voor zulke incidenten: racisme. Daarmee was het kwaad benoemd en kon iedereen zich weer goed voelen. Nu is er is iets anders aan de hand. Wat het Franse en het Nederlandse voorbeeld gemeen hebben is juist het defensieve 'en wij dan?'-gevoel. Een klassieke racist zou daar zijn neus voor ophalen. De Franse bondcoach erkent dat zwarte voetballers groot, breed en sterk zijn. Net zo geven de organisatoren van de marathon toe dat Keniaanse hardlopers harder lopen. Zo hard, dat het niet leuk meer is.

Dit is dus niet de Ku Klux Klan. Het is eerder Calimero.

Maar het zit diep, denk ik. Meer dan om ras, gaat het tegenwoordig om cultuur. De Franse bondcoach haalt er niet voor niets identiteit en geschiedenis bij. Toen de Fransen de wereldbeker wonnen was dat meteen een ode aan de pluriformiteit – doordat ook de blanke Fransman kon juichen voor een gekleurd team leek het klassieke racisme overwonnen. Toen het nationale elftal in de jaren daarna minder presteerde en weer later ruziënd over straat rolde, was juist afkomst ineens het probleem. Het elftal was eenvoudig niet Frans genoeg. Voelden deze voetballers zich wel echt Frans? *Waren* ze wel echte Fransen?

In een verlichte wereld is het vanzelfsprekend dat Hollanders aan de kant staan te juichen voor Keniaanse renners – en het ook spannend vinden wanneer de eindsprint tussen twee Kenianen gaat. Het gaat om de sport. In een verlichte wereld wordt een voetballer in de nationale selectie vanzelf een vertegenwoordiger van de natie, ongeacht afkomst of geloof.

Alleen jammer dat de wereld niet verlicht is. In ieder geval veel minder verlicht dan we de afgelopen halve eeuw gehoopt hadden.

Vergeet het woord racisme – dat maakt het pleitbezorgers van de nieuwe ongelijkheid te gemakkelijk. Zie de dooddoener van islamhaters: ik ben geen racist, want moslims zijn geen ras. Het gaat nu om cultuur. Het gaat om het groeiende onvermogen om de grenzen van je eigen identiteit te verruimen, juist omdat je je in je eigenheid bedreigd voelt. Wat is een Fransman? Wat is een Nederlander? Daar moet zo'n 'open debat' over gaan.

•

Vieze vingers

Het PVV-schandaaltje van deze week: een vlag. Het oud-Hollandse oranje-blanje-bleu dat door het Kamerlid Kortenoeven voor het raam van zijn werkkamer was opgehangen, zodat de hele Tweede Kamer ervan kon genieten, bleek in de vorige eeuw innig gekoesterd door de NSB. Onzin, wist het Kamerlid. Het gaat om 'vlaggen die de positieve periode van de Gouden Eeuw symboliseren, waarin de republiek Nederland haar grootste periode in de geschiedenis heeft doorgemaakt'. Dat je tegenwoordig best wel moeite moet doen om zo'n mooie vlag te pakken te krijgen – je moet er diep voor afdalen in de krochten van extreemrechtse websites – daar had het Kamerlid geen boodschap aan: 'Er is geen reden om de symboliek van Nederland zoals wij die graag zien uit het raam te gooien omdat iemand met vieze vingers eraan gezeten heeft.'

Ik ben het met het Kamerlid eens. Ook ik vind de Gouden Eeuw een echt 'positieve periode'. Het was immers de tijd waarin het kleine Nederland heel de wereld durfde te omarmen, een ongekende bloei in kunst en wetenschap doormaakte en het begrip religieuze tolerantie van een nieuwe, verlichte betekenis voorzag. Dat de NSB er een benauwd en hatelijk nationalisme van maakte en die stoere vlag besmeurde met benepen eigenwaan en vreemdelingenhaat, daar staat de PVV ver vanaf. Ik begrijp het, helemaal.

Het wordt vermoeiend – die deels ironische, deels jennerige, deels bloedserieuze toon van het nieuwe Hollands populisme. Wat wilde het Kamerlid nou echt zeggen met zijn potsierlijke vlag? Kortenoeven heeft voor het CIDI gewerkt, dus iets als historisch bewustzijn zal hem niet vreemd zijn. In de kamer van partijgenoot Bosma hangt pontificaal de vlag van Israël. NSB en Israël – de geestelijke ontsporing mooi samengevat.

Als er ooit een geschiedenis van nieuw rechts populisme wordt geschreven, dan mag daarin de grootste invloed niet ontbreken: Gerard Reve. De taal van de huidige politieke revolte is doordrenkt van reviaanse ironie – het half ironisch, half serieus sarren van die brave progressieve weldenkenden met hun humorloze bedilzucht en morele zelfgenoegzaamheid. 'Ze moesten een brandende poppenwagen je kutwerk binnenrijden,' luidt de favoriete zin van veel revianen. Daar zit het allemaal in – die hyperbolische agressie die echte woede uitdrukt, maar tegelijk ook komische onmacht. De ironie van Reve, altijd maar half ironisch, heeft zich nu in het publieke domein genesteld. Theo van Gogh, die 'de Goddelijke Kale' Fortuyn mocht influisteren, was een groot Reve-fan. Martin Bosma vindt Reve de grootste schrijver. GeenStijl druipt van reviaanse ironie.

Gerard Reve mag tegenwoordig niet veel gelezen worden, zijn geest is overal.

En zoals Reve zelf als onvertaalbaar geldt, juist omdat die ironie in een andere taal niet overkomt, zo laat ook de taal van het Hollandse populisme zich bar slecht overzetten. *Goatfucker*, *headrag-tax* – nooit lukt het je correspondenten van buitenlandse kranten uit te leggen dat het best heftig klinkt maar tegelijk ironisch bedoeld is. Nou ja, half ironisch. Nou ja, een beetje ironisch. Nou ja, eigenlijk wel serieus.

Ook dat vlagvertoon moet je reviaans opvatten. De PVV loochent alle principes en idealen van de historische Hollandse Gouden Eeuw, dus natuurlijk flirtte die prinsenvlag in de Kamer met de bruine connotaties die de NSB eraan heeft gegeven – net zoals Reve ironisch flirtte toen hij tijdens de Nacht van de Poëzie in 1975 aankondigde een gedicht 'van uiterst rechtse, fascistische en racistische aard' voor te gaan lezen. Dat gedicht heette 'Voor eigen erf'. Reve las het voor, gekleed in een zwart uniform, behangen met een zilveren kruis, een ban-de-bomsymbool en een hakenkruis. De laatste strofe luidde: 'O Nederland ontwaak / Gooi al dat zwarte tuig eruit / Ons land voor ons / Op naar de Blanke Macht!'

De huidige populistische partijen in Europa missen die fijne reviaanse ironie. Zij zijn pijnlijk humorloos. Dit is *ons* land, luidt de slogan van het Vlaams Belang. *Mut zur Heimat!* kopt de Oostenrijkse FPÖ.

Je kunt ervan vinden wat je wilt, eerlijk is het wel. In Nederland is ironie een middel geworden om niet te hoeven zeggen wat je bedoelt, om niet op een verschrikkelijke overtuiging betrapt te kunnen worden.

•

Een Hollands trauma

O, de geest van Srebrenica – toen de slager Mladić eindelijk werd opgepakt, was het weer tijd voor Hollandse zelfkastijding. De schande van Dutchbat werd in alle media geëtaleerd. Overste Karremans en al die andere wezels in uniform werden voor de zoveelste keer voor het gerecht van ons rechtvaardigheidsgevoel gesleept. De Nederlanders in Bosnië konden niet veel, maar ze hebben níets gedaan – en toen ze wel de handen uit de mouwen staken, was het om een massamoord te faciliteren. Wisten zij wat oorlog was.

De komende jaren zal het ook weer worden ingewreven: het jammerlijk gebrek aan morele moed van de Hollandse soldaten, de sullige naïviteit van de bevelhebbers, het morele gesjoemel achteraf. Het is inmiddels bekend repertoire. *De Volkskrant*: 'Ratko Mladić drukte Nederland destijds hardhandig met de neus op de feiten. Soms heb je agressie nodig, om niet machteloos te staan tegenover de barbarij.'

Dat is ongetwijfeld waar, alleen was het precies dat argument dat acht jaar na Srebrenica werd ingebracht door de voorstanders van de invasie van Irak. Juist het idee dat je vuile handen moet durven maken voor een betere wereld, heeft het afgelopen decennium voor een ontzagwekkende hoeveelheid ellende gezorgd – de lijken zijn nog altijd niet geteld. Vandaar dat het morele kompas allang weer een andere richting op wijst: de F16-piloten die meededen aan de val van Khaddafi in Libië mochten niet schieten, of misschien in een enkel geval toch wel – maar eigenlijk toch liever niet. De politiemannen die we gingen opleiden in Afghanistan dienden zich te gedragen als een wijkagent in Hoenderloo – geen wapens, vooral geen geweld, en veel 'terugkomdagen'.

Mag ik het zo samenvatten: wanneer in een crisis om een moreel standpunt wordt gevraagd, wordt er in Nederland weggekeken. Achteraf wordt er alleen nog teruggekeken. Heel veel teruggekeken, ook nadat het dikke rapport is verschenen. Ik heb eerlijk gezegd niet de indruk dat de schande van Srebrenica zo veel jaar later veel Nederlanders uit de slaap houdt. Ik heb eerlijk gezegd de indruk dat de schande van Srebrenica *nooit* heel veel Nederlanders wakker heeft gehouden. Hoezo trauma? Waar dan? Voordat je van een trauma kunt spreken, moet je eerst iets voelen.

Die volautomatische, steeds terugkerende veroordeling van de betrokkenen heeft iets van een fetisj. Zelfkastijding kan heerlijk zijn, zeker wanneer je ervoor zorgt dat de zweep telkens op de rug van de ander terechtkomt. Couzy, Karremans, Voorhoeve, de hossende soldaten en de schemerlamp voor mevrouw Karremans, het zijn gemakkelijke doelwitten voor morele verontwaardiging, omdat ze inmiddels zo veilig op afstand staan. Door hen hartstochtelijk te veroordelen, staan we achteraf alsnog aan de goede kant.

Het verwijt aan de Dutchbatters is morele blindheid. Geconfronteerd met het kwaad van etnisch fanatisme is men hopeloos tekortgeschoten. De diepe afgrond in de ziel van Ratko Mladić werd niet gepeild – men keek er eenvoudig overheen.

Dat is jammerlijk, maar de vraag zou moeten zijn of onze ogen *sindsdien* geopend zijn. De invasie in Irak riep indertijd niet zo veel emoties op in Nederland. Pas achteraf kwamen de vragen – en hier en daar een schuldbekentenis. Het rapport-Davids heeft geen enkele consequentie gehad – de ambtenaren van De Hoop Scheffer zitten nog op hun plaats, de betrokken ministers hebben gewoon doorgeregeerd. Balkenende is uiteindelijk niet over Irak gestruikeld maar over zijn eigen schoenveters.

Dat kon allemaal gebeuren doordat het geen heftige emotie in de samenleving opriep. Is dat nu anders? De Arabische Lente wekte hier vooral vrees voor een vluchtelingenstroom op. Een asielzoeker die zichzelf op de Dam in brand stak, bracht geen discussie over beleid op gang. Het Afghaanse meisje Sahar mocht blijven, maar wie op het lot van 'verwesterde' Afghaanse jongens in Nederland wijst, heeft de grootste moeite de aandacht vast te houden.

Misschien is de grootste misvatting over de Nederlandse betrokkenheid bij het drama van Srebrenica wel dat Hollanders *soft* zouden zijn, even zachtaardige als ineffectieve positivo's, die te veel en te vaak het beste met de mensheid voorhebben. Onze grootste zonde lijkt mij juist keiharde onverschilligheid. Niets wijst erop dat we die hebben afgelegd.

•

Hollandse waarden

Help me even. Stel dat de multiculturele samenleving wél gelukt was. Wat zou ik me daar dan bij moeten voorstellen?

Geen onbelangrijke vraag, lijkt me, want Europese leiders, de hete adem van het populisme in hun nek, hebben er inmiddels een nummertje van gemaakt: de tijd is gekomen om vast te stellen dat het multiculturalisme een schadelijke dwaalleer is geweest. Wat ons rest zijn multiculturele puinhopen.

In Nederland is dat geen nieuws. Toen een parlementaire commissie onder leiding van VVD'er Stef Blok in 2004 concludeerde dat de integratie van minderheden grotendeels geslaagd was, omdat steeds meer allochtonen steeds hoger werden opgeleid en sneller hun weg vonden in de maatschappij, was het land te klein. En die tasjesdieven dan? Haatimams? De integratie was niet grotendeels geslaagd, hij was 'volledig mislukt'. Stef Blok haalde er destijds zijn schouders over op: 'Ik kan niets anders constateren dan dat de integratie alleen maar toeneemt. Het opleidingsniveau van allochtonen stijgt al jaren, net als hun acceptatie van de democratie en de waarden die zij vertegenwoordigt.' Wel constateerde zijn commissie dat het beleid van de overheid geen invloed had op de integratie van migranten.

Het was niet genoeg. Het was een schande. In de jaren daarna moest iedere politicus, van rechts tot van spijt vervuld links, hard roepen dat het multiculturalisme gefaald had en de integratie jammerlijk was mislukt. Je moest ook altijd doen alsof je de eerste was, alsof jij de moedige eenling was die het taboe durfde te slechten, omringd door fanatieke multikullers – jammerlijk verdwaasden in spijkerpakken, die zich in bochten wrongen om de hoge criminaliteitscijfers onder allochtonen te downplayen en virulente homo- en vrouwenhaat een positieve draai te geven.

Die mythe wordt voortgezet. Minister Piet Hein Donner, de man die zo zichtbaar geniet van zijn eigen intelligentie, schreef een integratienota waarin de regering 'afstand neemt van het relativisme dat besloten ligt in het model van de multiculturele samenleving'. Multiculti, kopten de kranten, moet plaatsmaken voor 'Hollandse waarden'.

Donner bracht het alsof het een historisch keerpunt betreft. In werkelijkheid is het een heel oud deuntje. Wie pleit er in Nederland nog voor 'het model van een multiculturele samenleving'? Wat is dat eigenlijk? Wie beweert dat nieuwkomers zich vooral *niet* moeten aanpassen aan de Nederlandse samenleving? Wie roept er dat vrouwenbesnijdenis gewoon een mooie culturele traditie is?

Hoe verdedigt Donner zijn Hollandse waarden? Door 'gezichtsbedekkende kleding' in de openbare ruimte te verbieden. Dat zal de Nederlandse straten vast een heel ander aanzien geven.

Dat is het probleem van de politiek: alles loopt door elkaar. De taal van de integratienota is een mengeling van hysterie en nuchterheid. Je hebt de afgetrapte geloofsartikelen van de *loony right*, die de moslimhaat viert in een verbale orgie, waarin wordt afgerekend met 'relativisme' en 'multikul'. Nederland kan pas Nederland zijn wanneer de kwaadaardige ideologie van de islam definitief verslagen is – en de multicultiverraders van het pluche zijn verjaagd.

Dan is er het pragmatisme van de liberalen, dat stelt dat de eindeloze hulpvaardigheid van de Nederlandse overheid bij integratie geen zoden aan de dijk zet en ook te veel kost. Klare taal.

En dan zijn er nog die Hollandse waarden. Daarmee bevinden we ons op het gebied van de cultuurpolitiek. Dat is meer iets voor het CDA.

Hatelijk nationalisme, de liberale afkeer van overheidsbemoeienis en een vleugje gemeenschapsdenken; een integratienota waarin dat allemaal door elkaar heen loopt, is geen keerpunt, maar een symptoom van de verwarring.

In een open brief aan prinses Máxima schreef PvdA-politicus Lodewijk Asscher ooit dat hij zou willen leven in een samenleving waarin iemands achtergrond weer precies dat was: zijn achtergrond. Dat is een fraai refrein. Maar wil je een einde maken aan die obsessie met achtergrond, dan heb je ook een gedeelde voorgrond nodig. Noem dat Nederlanderschap.

Het debat moet niet gaan over multikul vs Nederlandse waarden.

Het debat moet gaan over wat die Nederlandse waarden eigenlijk zijn – in deze tijd, in deze voorgoed gemengde samenleving.

Na de crisis

Toen in 2008 banken wereldwijd wankelden, dacht ik dat het voorlopig dáár over zou gaan. Het 'integratiedebat', dat in Nederland inmiddels alle kenmerken van een uit de hand gelopen burenruzie had, zou plaatsmaken voor een discussie over een op drift geraakte wereldeconomie. Als Nederlander juichte ik dat toe. Als beschouwer leek het me lastig. Het integratiedebat speelde zich voornamelijk af rond de dorpspomp – de bewegingen van de kapitaalmarkten waren een stuk ondoorzichtiger. Twee door Mocro's weggepeste homo's in Leidsche Rijn discussieert gemakkelijker dan de voor en tegens van credit default swaps.

Ik had gerust kunnen zijn. Niet alleen dachten de meeste Nederlanders er net zo over, waardoor de crisis de afgelopen jaren geen kans maakte tegenover brandende kwesties als de kopvoddentaks en het boerkaverbod. En, wonderlijk, de eurocrisis blijkt gewoon weer het integratiedebat. Voortgezet met andere middelen.

Want Europa bleek ineens hetzelfde als de verfoeide multiculturele samenleving: een door verdwaasde idealisten geproclameerde schijneenheid, die solidariteit veronderstelde die er niet was. Ook de gedeelde Europese identiteit, gevierd op talloze gesubsidieerde festivals, bleek een verzinsel. Zwakke broeders waren in een opwelling van economisch humanisme voor vol aangezien; omdat iedereen beter van de euro zou worden, was het gemakkelijk te denken dat iedereen gelijkwaardig was. Toen Griekenland wankelde, was het gedaan met het idealisme. Zelf bezuinigen om een ander land overeind te houden – een land waarvan de bewoners plotsklaps alle kwalijke eigenschappen werden toegedicht die in Nederland aan allochtonen zijn voorbehouden – het was te veel gevraagd.

De eerste die het begreep was Geert Wilders. In zijn tweets verving hij 'moslims' door 'Grieken'. Vijf zetels erbij.

De regeringspartijen bevonden zich ineens in een spagaat. Zolang economie en het nationale integratiedebat twee verschillende zaken waren, was er niets aan de hand; in eigen land kon je onbekommerd op de nationalistische trom slaan terwijl je ondertussen onbekommerd verder sleutelde aan de Europese monetaire unie. Toen die onverwachts speelbal werd van nationalistische sentimenten, was die houding meteen potsierlijk: Rutte die in goedkope oneliners zijn afkeer van het Griekse volk beleed en zich tegelijk committeerde aan miljardenleningen aan dat land.

Die spagaat is inmiddels zo strak dat er snel iets moet scheuren. De schuldencrisis legde de weeffouten van de Europese Unie bloot. De oplossingen die geboden werden waren tegenstrijdig. Sommigen willen Griekenland uit de euro zetten, met eventueel nog een paar wankele landen erbij, of de euro gewoon afschaffen. Anderen, zoals Ursula von der Leyen, de Duitse minister van Werkgelegenheid, kozen juist voor de vlucht naar voren: Europa moet een federale staat worden. Alleen dan kan het uit de crisis komen. 'Mijn doel is de Verenigde Staten van Europa.'

Dat klinkt gedurfd – wie dit evangelie verkondigt, kan op bijval uit verlichte kringen rekenen. De eurocrisis laat zien dat wil Europa kunnen functioneren, het gewoon nog wat meer Europa zal moeten worden. Vanuit economisch oogpunt is het glashelder; schande dus dat de populisten zich in onverantwoordelijke hetzes verliezen en het volk opzetten tegen wat uiteindelijk alleen maar in het belang van hun portemonnee is.

Mij lijkt dit een fatale misrekening. Ik voorspel geen eenheid, ik voorspel opstand. De eurocrisis is slechts ten dele een economische crisis. Hij maakt deel uit van de veel grotere crisis in het naoorlogse humanisme, dat zich als opdracht had gesteld nationalistische aanvechtingen te overstijgen. Wat telde was niet langer cultuur, wortels, volksaard, al die besmette begrippen die het continent tot over de rand van de afgrond hadden gebracht. En een tijd lang werkte het: zesenzestig jaar zonder oorlog.

Dat die verfoeide sentimenten – eigen volk, eigen cultuur, eigen geschiedenis, eigen eigenheid – door de achterdeur van het populisme weer de politiek zijn binnengekomen, is voor veel verlichte geesten nog steeds onbegrijpelijk. Het gaat immers tegen iedere rationele overweging in. Daarom zijn ze steeds opnieuw geneigd zulke emoties als een kortstondig misverstand af te doen, weg te wuiven als de spelletjes van populisten. Dat is levensgevaarlijk.

De bezuinigingen zullen die sentimenten alleen maar versterken – rationeel of niet rationeel. Wie de crisis in Europa wil bestrijden, zal eerst die crisis, de echte crisis, onder ogen moeten durven zien.

•

De wereld is niet plat

'Al dat geklets over een wereld die "plat" zou zijn geworden.' In mijn gesprek met Jason Burke, Brits oorlogscorrespondent en schrijver van het doorwrochte, lijvige *The 9/11 Wars*, was dat de belangrijkste les van meer tien jaar oorlog en terreur: het verrassend onbuigzame verzet van het lokale tegen het mondiale, het specifieke tegen het algemene, van de stugge traditie tegen geïmporteerd gedachtegoed. De opstand van moslims in wankele staten die Al-Qaeda wilde bewerkstelligen, mislukte uiteindelijk vooral doordat de organisatie weigerde rekening te houden met lokale gebruiken en omstandigheden. Er moest in het groot gedacht worden. Zelfs in brandhaard Pakistan, waar de haat tegen de VS het diepst zit, loopt de radicale islam steeds stuk op lokale tradities.

Niet gemakkelijk, zo'n wereldrevolutie.

Dat heeft ook het Westen ondervonden. Er is al genoeg geschreven over het verblinde beschavingsoffensief in Irak en Afghanistan. Burke vertelde me over de stroom van weldenkende ngo'ers die samen met de troepen in Afghanistan voorbijkwam: 'Ze dachten dat de boerka door de Taliban was opgelegd. Toen die bij hun komst niet massaal uitging, waren ze beteuterd.' Zowel de organisatie van Bin Laden als de neoconservatieven en de humanitaire idealisten verkeken zich op de mens als cultureel gewoontedier. In de zogenaamde botsing der beschavingen bleken de vijandige partijen pijnlijk weinig oog te hebben voor precies dát: cultuur.

Bij iedere verjaardag van de aanslagen van 11 september wordt er teruggekeken, maar men zoekt het vooral in persoonlijke verhalen – wat dacht je, wat voelde je, wat deed je toen? Dat de wereld op 11 september 2001 'voorgoed veranderde', hoorden we tot vervelens toe. Interessant is dat-ie veranderde op een manier die we juist in de jaren erna niet voor mogelijk hielden.

Dat het lokale hardnekkig zou blijken, dat mensen hun kleine, vertrouwde wereld niet klakkeloos inruilen voor de belofte van een grote, 'betere' wereld, dat is de les van de afgelopen tien jaar.

De Europese Unie leert 'm nu.

Bekijk het eens zo: het afgelopen decennium stond in het teken van de strijd tegen verfoeilijk relativisme. Met de westerse waarden moest niet langer worden gemarchandeerd, het was tijd om te gaan staan waarvoor je stond, achterlijkheid moest weer gewoon achterlijkheid genoemd kunnen worden. Dat discours bleef vooral beperkt tot de opiniepagina's, internetfora en snelle boekjes. Waar het nieuwe ideologisch elan zich moest bewijzen, zoals in Irak en Afghanistan, liep het al snel tegen de weerbarstige werkelijkheid op.

Meer dan tien jaar bezetting en nog zijn de boerka's niet uit.

Inmiddels overheerst de nuchterheid. Niemand gelooft meer in Afghanistan als stabiele democratie. Afghanistan blijft Afghanistan. De eindeloze discussie in Nederland over de ware aard van de trainingsmissie in Kunduz liet alleen de knulligheid van het Hollandse politieke bedrijf zien. Als het een humanitaire missie was, denkt men dan werkelijk dat die na vertrek van de Nederlanders overeind zal blijven? Als het een militaire missie was, denkt men dan werkelijk dat men de Taliban zal verslaan?

De radicale islam heeft een nog grotere hekel aan relativisme: moslims werd de terugkeer naar een onbezoedelde gouden eeuw voorgespiegeld, waar de waarden van de zuivere islam weer in hun volle glorie ondergaan zouden worden. Toen de onzuivere werkelijkheid zich niet liet wegpoetsen, ontaardde deze ideologie in doelloze terreur.

Na zo veel jaar oorlog tegen het relativisme, moet er nu weer gerelativeerd worden. Die twee begrippen werden de laatste tien jaar voortdurend met elkaar verward. Relativisme is: mijn waarden voor die van een ander. Relativeren is iets heel anders. Relativeren houdt het besef in dat de wereld zich niet klakkeloos aan jouw opvattingen zal aanpassen.

De terechte twijfels over de haalbaarheid van de Arabische Lente – hoe kunnen vrijheid en democratie bloeien wanneer ze niet verankerd zijn in stevige maatschappelijke instituties? – lieten zien dat dat laatste besef wellicht langzaam tot ons doordringt. Je kunt duimen, je kunt steunen, je kunt geven. Je kunt niets opleggen.

Na Christus

Het was een feestje voor Engelse columnisten: de beslissing van de BBC om bij jaartallen de aanduiding BC (Before Christ) en AD (Anno Domini) te vervangen door een even neutrale als wezenloze term – de Common Era, oftewel CE. De burgemeester van Londen, de leutige Tory Boris Johnson, verklaarde dat de man die dit besloten had in de burelen van de staatsomroep opgezocht moest worden om hem een 'figuurlijke' schop onder zijn hol te geven.

Anderen zagen het als een ongevraagd zwichten voor de belangen van minderheden. Men gaat rekening houden met gevoeligheden die er waarschijnlijk niet eens zijn. Weg met ons, zie je wel, daar gaan we weer.

We kennen het hier ook – weg met het kruis op de mijter van Sinterklaas, een kunstzinnige plant met leuke slingers in plaats van de kerstboom in de aula. De bedreigde moorkop. De gefnuikte negerzoen. Multicultureel politiek correct en atheïstisch hypercorrect vinden elkaar. Een paar jaar geleden beklaagde de filosoof Herman Philipse zich in een forum over de aanspreektitel 'Beatrix, bij de gratie Gods' – als fervent ongelovige moest je zulke onzin kennelijk maar slikken. Schrappen dus.

Laat toch, wat kan het je schelen, dacht ik toen – en dat denk ik nog steeds zodra uit naam van vermeende gevoeligheden een radicale neutraliteit wordt bepleit. In de publieke ruimte zijn we allemaal gelijk en dat zullen we weten: er is de laatste jaren een stugge neiging om allerlei onschuldige vormen van eigenheid onschadelijk te maken. Daarbij worden verschillende, vaak tegengestelde principes aangeroepen, maar het doel is steeds hetzelfde: het uitbannen van ongerijmdheden, capitulatie voor gevoeligheden. De goedbedoelende schoolbestuurder denkt dat de moslim of hindoe een toeval krijgt bij het zien van een kerstbal. De principieel ongelovige ziet tekenen van religiositeit – de hoofddoek! – in de openbare ruimte als een aanslag op de rede.

De cultureel conservatief mag zich de hele dag opwinden: hij wordt woedend op de multiculturalisten die de symbolen van zijn eigen joods-christelijke-verlicht-seculiere-westers-Hollandse cultuur kleineren en tegelijk schuimbekt hij over het oprukken van cultuurvreemde symbolen in het straatbeeld – Sinterklaas moet zijn kruis inleveren, terwijl de minaretten tot in de Hollandse hemel reiken. Zoals een briefschrijver het laatst samenvatte: 'Je moet je schuldig voelen dat je in je eigen land woont.'

Stelling: een land dat goed in zijn vel steekt, kan zich ongerijmdheden veroorloven. Cultuur is samenhang – en culturele samenhang is nooit rationeel georganiseerd, voegt zich zelden naar verlichte principes. Cultuur bestaat uit dikke lagen geschiedenis, restanten van achterhaalde en verworpen denkbeelden, brokstukken van vergane tradities. In een evenwichtige samenleving voel je je niet bedreigd door religieus-culturele uitingen die niet stroken met je eigen opvattingen. De aanduiding 'na Christus' heeft een puur culturele functie, die je wel degelijk kunt delen – zoals we de kerstboom kunnen delen. Wie de principes van de Verlichting aanhangt, zal erkennen dat Zwarte Piet echt niet kan – wie in Nederland opgroeit, wil er geen Groene Piet voor in de plaats. Cultuur is sterker dan de rede.

Alleen, jammer, dit is geen evenwichtige samenleving. Daarom verandert het grijze gebied tussen rationele denkbeelden en ongerijmde religieuze en culturele uitingen steeds vaker in een strijdperk. Zeker, er zijn echt hete hangijzers. Bij het debat over het verbod op ritueel slachten lukte het mij niet een onwankelbare positie in te nemen. Dierenwelzijn versus duizenden jaren traditie – ik kon voor beide partijen begrip opbrengen. Maar dierenleed was voor velen slechts een stok om hard te kunnen slaan. Wat moest worden afgeschaft was religieuze achterlijkheid.

Met eenzelfde agressieve gedrevenheid worden nu alle 150 Nederlandse vrouwen in boerka bevrijd – en als ze dat niet willen, worden ze net zo lang op de bon geslingerd tot ze alsnog het licht zien. De SGP zal moeten buigen voor de rechten van de vrouw. De publieke ruimte moet ontdaan worden van religieuze symbolen, geloven doe je maar thuis. En mocht de gulden terugkomen, dan komt er ongetwijfeld een actiegroep die 'God zij met ons' van de rand wil weren. Zowel bij de oude multiculturalisten als bij de bestrijders van de achterlijkheid gaan Verlichting en intolerantie hand in hand.

Achterdeur

Juist in de week dat minister Schippers zowat alle hasj van eigen bodem tot harddrug verklaarde, zag ik de Hollandse documentaire *Nederwiet*. Met de almaar meer bedreigde thuiskweek als aanleiding, geven Maaik Krijgsman en Hans Pool een raak beeld van het huidige Nederland – een land waarin men is teruggekomen van het ideaal van de onbeperkte vrijheid en waar men nu de schadelijke neveneffecten van die vrijheid probeert te beheersen door een overmaat aan regelgeving. Dat leidt tot komische taferelen, zoals in de coffeeshop op de Wallen waar alle losse voorwerpen die cannabisgebruik bevorderen (zoals reclameaanstekers) verwijderd moeten worden en vaste voorwerpen, zoals de prijslijst aan de muur, mogen blijven.

Tegelijkertijd hebben Krijgsman en Pool een scherp oog voor de schaduwzijden van de weerbarstige, anarchistische geest die ons land ook nog in zijn greep heeft: de stugge volharding van de thuiskwekers, die hele zolders ombouwen tot plantages, het eindeloze gesjoemel in de illegaliteit van de handel. Want wat aan de voordeur wordt toegestaan is aan de achterdeur immers verboden – coffeeshops mogen verkopen, maar aan coffeeshops mag geen voorraad geleverd worden.

In die spagaat laat het Hollandse onvermogen zich in zijn volle glorie zien. *Nederwiet* eindigt met een fenomenale scène waarin een idealistische Friese hasjteler, wiens plantage door de politie geruimd is, voor de rechtbank moet verschijnen. Hoe kunnen de rechters verklaren, vraagt hij retorisch, dat er in Leeuwarden alleen al dertien legale coffeeshops zijn, terwijl hijzelf wordt vervolgd wegens het bezit van hennepplanten? Wie heeft die hasj geleverd? De rechters zitten met hun mond vol tanden – de wet ontbeert iedere logica, maar ze kunnen niet anders doen dan haar uitvoeren.

Die discrepantie, tussen wat er aan de voordeur geregeld en wat er aan de achterdeur gesjoemeld wordt, is een goede metafoor voor wat er in Nederland aan de hand is. Of het nu over asielzoekers gaat, over het ruige leven in achterstandswijken, of over de wonderlijke geschiedenis van de nederwiet, telkens weer krijg je een schrijnend contrast te zien tussen wat de overheid beoogt en een werkelijkheid die zich bar weinig van al die regels lijkt aan te trekken. Fraaie maakbaarheidsidealen, vertaald naar strenge maar rechtvaardige regels, lopen vast in bureaucratie en ambtelijke haarkloverij. Aan de andere kant zie je mensen die stug hun eigen gang gaan. Als het niet goedschiks kan, dan maar burgerlijk ongehoorzaam.

Nederland worstelt met twee tegengestelde tradities. De neiging elke rimpel glad te strijken door almaar meer regels en voorwaarden Aan de andere kant: een anarchistische, op individuele vrijheid gerichte drang. Het opgeheven vingertje en de opgestoken middelvinger.

Die tradities botsen niet alleen, zoals die documentaire laat zien, ze lopen ook op een verwarrende manier in elkaar over. Het onvermogen om de wereld blijvend te beheersen door plannen en regels mag algemeen menselijk zijn, het heeft inmiddels wel heel Hollandse trekjes gekregen.

In de politiek is er nu een anarchistische buitenstaander, Geert Wilders, die voor een door en door gecontroleerde samenleving pleit. Op antiautoritaire wijze wordt een autoritaire samenleving geëist. Uit naam van de vrijheid moet de vrijheid worden ingeperkt. Het Hollandse populisme wil voordeur en achterdeur tegelijk zijn, het is grof opstandig in naam van orde en tucht. Met het revolutionaire elan van de achterdeur wordt voor een steviger, steeds dikkere voordeur gestreden.

Bijna dagelijks wordt er weer een nieuw hangslot aan gehangen.

Je kunt zeggen dat die nieuwe mentaliteit ernaar streeft de onmogelijke kronkels tussen voor- en achterdeur recht te trekken. En natuurlijk wordt de onvrede alleen maar groter. Er wordt van alles aangepakt, gereguleerd en ingeperkt – maar er wordt niets opgelost. Dat kan pas als je ook een visie hebt op wat een samenleving is.

Gevraagd wordt een doordacht drugsbeleid. Regel de aanvoer nou eens. Zo'n voorgenomen besluit van Schippers is het zoveelste slot op de voordeur. Aan de achterdeur gaan we gewoon onze gang.

•

Schaamte

Mijn overgrootvader was een kansarme immigrant, een Galicische jood, die deserteerde uit het leger van de Habsburgse dubbelmonarchie en via Duitsland in Nederland belandde. In Amsterdam zette hij talloze zaakjes op, de meeste, als ik de verhalen mag geloven, mislukkingen. Uiteindelijk had hij een dropsnijderij in de Indische Buurt. Hij stierf in 1944 – verrassend genoeg aan ouderdom. Wel was hij al zo'n twee jaar de deur niet meer uit geweest, omdat hij weigerde een ster te dragen.

Maar voor zijn dood heeft hij nog kunnen zien dat zijn kinderen het beter hadden dan hijzelf. En als hij verder had kunnen kijken, had hij gezien dat dat ook voor de daaropvolgende generaties gold – steeds welvarender, steeds hoger opgeleid.

Was dat alleen het resultaat van individuele inspanning, van 'eigen verantwoordelijkheid' nemen? Kan zijn. Maar er was ook een bedding voor nodig. Die bedding was er. Nederland.

Ik denk wel eens aan mijn overgrootvader als ik zie hoe het nieuwkomers praktisch onmogelijk wordt gemaakt om die Hollandse bedding te vinden. Ik weet ook wel dat de situatie anno nu anders is dan aan het begin van de twintigste eeuw (massa-immigratie! massa-immigratie!), maar alles lijkt er nu op gericht nieuwkomers kansen te onthouden, in plaats van ze te geven. Immigranten worden hier kansarm gemaakt. Ik ken een jonge man uit Bulgarije die zich suf solliciteert op baantjes onder zijn opleidingsniveau en iedere keer tegen een muur van bureaucratie loopt – en tegen een muur van wantrouwen. Ik weet van een Braziliaanse vrouw die werkdagen van tien uur maakt, samen met haar moeder in een kamer woont en over de capaciteiten beschikt om een eigen bedrijfje op te richten. In haar pogingen aan een legale verblijfsstatus te komen is ze tot twee keer toe in handen van oplichters gevallen, die haar met loze beloften geld hebben afgetroggeld.

Anders dan de Britse premier Cameron eens betoogde, zie ik het aangeven van zulke mensen niet als mijn burgerplicht – wie wel? Het is dan ook een hele geruststelling dat, mochten ze worden opgepakt, ikzelf volgens een nieuwe wet niet als medeplichtig zal worden aangemerkt. Ik ben de minister dankbaar.

Diezelfde minister Gerd Leers opperde dat immigratie ook een verrijking van de samenleving kan zijn. Hij werd direct teruggefloten door Rutte – dezelfde Rutte die, toen hij in 2006 samen met Ben Verwaayen zijn verkiezingsprogramma schreef, op het standpunt stond dat je welkom was in Nederland als je werk had en de taal sprak. Leers ging diep door het stof – zo belachelijk onnodig diep dat je je afvraagt of we hier met een masochist te maken hebben.

Bij het zien van het Kamerdebat over de dreigende uitzetting van de achttienjarige Angolees Mauro die sinds zeven jaar bij Limburgse pleegouders woont die hem niet mogen adopteren, overviel me een gevoel van schaamte. Vooral vanwege de idiotie van het debat – sinds wanneer is het nodig dat de hele vaderlandse politiek tot diep in de nacht bijeenkomt voor één enkel geval? VVD'er Stef Blok: 'De Kamer maakt wetten en beslist niet over individuele gevallen. Dat is de kern van de rechtsstaat.'

Dat is zeker waar. Maar in zijn gietijzeren zelfgenoegzaamheid vergat Blok dat juist het geval-Mauro de funeste gevolgen van die almaar hoger geworden stapel wetten over immigratie zichtbaar maakt.

Pijnlijk was het te zien hoe Nederlandse volksvertegenwoordigers hardop nadachten over mogelijkheden om de eigen Hollandse wetten te omzeilen. Misschien kon Mauro een studievergunning krijgen? Als hij zijn zaak aanhangig maakt bij Europa, werd zijn uitzetting wellicht opgeschort?

Het moet niet gekker worden.

Waarom één geval het hele land kon bezighouden? Is dat enkel sentimentaliteit, omdat de pijn nu een gezicht kreeg? Mij lijkt het vooral het gevolg van een kwaad geweten. De politici werden gedwongen de consequenties van hun eigen daden en uitspraken onder ogen te zien. Mauro Manuel is allang geen kansarme immigrant meer. Nederland is een kansarm land geworden.

Doe wat!

Sinds ik kritische kanttekeningen maakte bij het engagement van de Occupy-beweging, stuit ik in mijn omgeving steeds op eenzelfde onbehagen: er moet iets gebeuren – maar hoe? Occupy NL was het misschien niet, maar het was tenminste wat. Een generatie liet zichzelf eindelijk zien. Het tentenkamp op het Beursplein verpieterde hopeloos, er vonden afscheidingen plaats – maar als abstract gegeven kon de opstand op brede steun rekenen. Daarbij gingen grootse idealen en een gezond egocentrisme hand in hand. Het moet eerlijker en rechtvaardiger in de wereld – en die babyboomers hebben mijn pensioen vergokt.

Mijn scepsis over de effectiviteit van Occupy werd hier en daar uitgelegd als cynisme. Was er eindelijk opstand tegen het marktdenken, vindt Heijne het weer niet goed. Maar mijn vraag is: waarom is de maatschappijkritiek op links zo krachteloos? Waarom dringt, anders dan bij rechts, zo weinig van die kritiek door in het systeem? Waarom blijft het veelal bij academische betogen en ludieke acties in de periferie van de samenleving?

Zulke vragen afdoen als cynisme is kinderachtig. Dat is een vorm van narcisme, de gekrenktheid van iemand van wie zijn feestje wordt afgenomen.

Het eerste probleem is de nostalgiefactor. Bij Occupy in New York doken de verweerde gezichten van sixtiesactivisten op. Na vele jaren in de barre woestijn van het neoliberalisme te hebben gezworven, mochten ze zich eindelijk weer thuis voelen. Een nieuwe generatie legitimeerde de oude. Dodelijk. Door die opzichtige verwijzingen naar wat zo hopeloos voorbij is, werd de beweging tot een rariteit – als een hedendaagse opvoering van *Hair*.

Het tweede probleem is de commercie. De afgelopen decennia is betrokkenheid met de wereld opgeslokt door de commerciële mediacultuur. Een beetje ster zet zich in voor een goede zaak. Dat helpt die goede zaak, maar vooral ook de ster. Resultaat: op een gegeven moment is niet meer duidelijk of Angelina Jolie er voor de vluchtelingenkampen is, of andersom.

Juist in de dagen dat actrice Susan Sarandon zich veelvuldig onder de betogers in New York mengde, ging een reclamecampagne van start waarin Sarandon prominent werd voorgesteld als 'actrice, moeder en activiste' – en en passant een leuke sweater voor 39 dollar aanprees. Jeansmerk Levi's heeft een campagne gemaakt waarin jeugdige opstandigheid haarfijn aan de aanschaf van een spijkerbroek wordt gekoppeld. *Go forth!* luidt de slogan. Met z'n allen trekken we op naar het *jeans centre*.

Het grootste probleem is de annexatie van maatschappijkritiek door het bedrijfsleven. In de afgelopen jaren toonden steeds meer bedrijven zich bewust van hun verantwoordelijkheid. Shell ging met milieuorganisaties rond de tafel zitten. Ondernemingen committeerden zich aan goede doelen. Op talloze bijeenkomsten moesten veelbelovende jongeren zich tegenover CEO's bewijzen – niet door hun vermogen om targets te halen, maar door het belijden van hun maatschappelijke betrokkenheid. Je moest niet laten zien dat je handig was in zaken, maar dat je waterputten wilde slaan in Malawi.

Het leek voor alle partijen goed: idealisme in praktijk gebracht, de bedrijven legitimeren zich in de samenleving. Maar doordat het engagement onderdeel van het establishment werd, werd het ook krachteloos, een vorm van lifestyle.

Occupy kon je zien als reactie op dat in slaap gewiegde engagement. De opstand wil weer autonoom zijn. Van verschillende kanten werd erop gewezen dat de onvrede alleen al een statement is – de praktische doelen komen later wel. Of niet. In een manifest dat ik op internet vond, werd de woede en verontwaardiging als een legitiem doel op zich beschouwd. De beweging is 'not rejection, and it is not a statement, it is pure being – being unto itself, being in the name of values which are universal'.

Het zuivere zijn. Het maatschappelijke maakt plaats voor het quasireligieuze. Terug naar de wederdopers.

Wil een politieke beweging meer zijn dan een millennaristische oprisping, dan zal ze het systeem moeten uitdagen. Daar is werkelijke confrontatie voor nodig.

Schoonheidsprijs

Hoogtepunt van de week was de directeur a.i. van Pink Ribbon die in het NOS *Journaal* met een stalen gezicht uitlegde dat de knalroze stofzuiger waaraan de organisatie haar naam had verbonden, een belangrijk wapen was in de strijd tegen borstkanker. Wanneer je de stang bij het stofzuigen heen en weer bewoog, verminderde immers je kans op een tumor?

Pink Ribbon ligt onder vuur – er wordt de suggestie gewekt dat de organisatie driftig investeert in onderzoek, terwijl het meeste geld besteed wordt aan bewustwording. Wat je daar onder moet verstaan, ik vrees het ergste – de zoveelste door Estée Lauder geregisseerde glamouravond met inwisselbare Nederlandse sterretjes die zich stuk voor stuk inzetten voor 'de strijd tegen borstkanker', zodat het toch nog lijkt alsof ze over iets als een persoonlijkheid beschikken? Wat de directeur bewustwording noemt – ik denk aan het door Pink Ribbon georganiseerde 'borstenmemory' en de immer populaire 'tietenrace' – is gewoon een vorm van ideële exploitatie. De commercie voedt zich met idealisme.

Die stofzuiger heet overigens Hetty. De fabrikant heeft er twee ogen en een lachende mond op gezet. 'Maatschappelijk verantwoord ondernemen staat hoog in het vaandel bij Numatic International in Nederland en in ruim zeventig landen over de wereld. De drie P's (planet, people, profit) zijn de drie pilaren waarop dit beleid is ontwikkeld.'

Planet, people, profit.

Juist het publiek dat de afgelopen jaren een torenhoog wantrouwen jegens de politiek en de overheid heeft ontwikkeld laat zich eindeloos manipuleren door de commerciële media – in naam van een goed gevoel. Idealisme en celebritycultuur, journalistieke onafhankelijkheid en commerciële belangen, de grenzen zijn in die wereld allang hopeloos vervaagd.

Johan Derksen over Ajax, Johan Derksen over de Nederlandse Energie Maatschappij – er is geen verschil. Wie ineens teleurgesteld is in de man, heeft al die tijd iets in zijn ogen gehad.

Ik zit er niet mee. Alleen: die mentaliteit blijkt besmettelijk. De samenleving voegt zich langzaam maar zeker naar de regels van de reclame. De losse omgang met feiten en principes is verleidelijk. Je kunt gerust de feiten een beetje naar je hand zetten – voor de goede zaak, natuurlijk – niemand die het uit gaat zoeken. Je kunt gerust iets moois zeggen zonder dat je het meent – niemand zal je eraan houden.

Vooral in de wetenschap en politiek zie je daar nu de effecten van. Als Pink Ribbon de feiten een beetje pimpt om publiek te trekken, waarom zou een wetenschapper dat ook niet doen – wat telt is het resultaat, immers?

Je hoeft geen pessimist te zijn om te vermoeden dat er in Nederland een aantal wetenschappers is die 's nachts met wijd open ogen naar het plafond liggen te staren. Een van de grootste frustraties van academici is dat ze zich niet gezien weten door de samenleving. Geen wonder dat er onder hen steeds meer zijn die geneigd zijn zich een beetje aan die samenleving aan te passen.

Politici, die de samenleving zeggen te vertegenwoordigen, hebben daar nog meer last van. Steeds vaker markeren ze zichzelf door prachtige, onwrikbare principes te verkondigen, die ze vrijwel meteen daarna in de vuilnisbak kieperen. Het gaat om het gebaar.

Mark Rutte over het pgb, een jaar voordat hij het praktisch wegbezuinigde: 'Daar hebben we in Nederland voor gevochten. Dat is beschaving.'

Het is maar een voorbeeld. Het inmiddels verdwenen dagblad *De Pers* had er een leuke rubriek over: telkens weer blijken politici zichzelf hopeloos tegen te spreken, feiten te verdraaien en hun eigen principes te verloochenen. Bij de minister die zichzelf het vaakst integer noemde, Gerd Leers, was de haan op een gegeven moment schor van het kraaien.

Het pijnlijkste geval was Jeanine Hennis-Plasschaert als Tweede Kamerlid van de VVD. Zij heeft het loze Pink Ribbon-engagement naar de Tweede Kamer gebracht. Steeds weer verkondigde ze ergens pal voor te staan. Maar als het erop aankwam – zoals met het wetvoorstel tegen de weigerambtenaar – liet ze het afweten, wat gepaard ging met veel mediageniek handenwringen.

'Dit verdient geen schoonheidsprijs,' verklaarde ze toen ze aankondigde tegen haar eigen overtuiging te stemmen. Terwijl het haar juist om die prijs al die tijd te doen was.

•

Burgerschap

Wanneer me weer eens gevraagd wordt wat ik vind van het idee van burgerschap als middel om een versplinterde samenleving te binden, verwijs ik graag naar het Amsterdamse Kleine Gartmanplantsoen. Daar heb je twee eerbiedwaardige instituten recht tegenover elkaar – debatcentrum De Balie en de populaire uitgaansgelegenheid Palladium. Ze trekken een divers, multicultureel publiek. Bij De Balie wordt nu al zo'n dertig jaar gediscussieerd over 'nieuw burgerschap'. Bij het Palladium luidt het adagium: gedraag je een beetje.

U begrijpt waar ik liever kom.

Burgerschap. In discussies over de multiculturele samenleving is burgerschap, of nog beter, nieuw burgerschap, de vluchtheuvel waarop we elkaar weer vinden. De samenleving mag als los zand aan elkaar hangen, we hebben allang geen gedeelde achtergrond meer, cultureel lijken de verschillen vaak genoeg onoverbrugbaar – gelukkig hebben we ons burgerschap nog. Iedereen doet maar wat hij wil, zolang het binnen de grenzen van de wet is. Het maakt niet uit of je joods-christelijke wortels hebt of niet. Lokale affiniteiten, culturele achtergrond, religieuze overtuigingen, morele principes, je doet maar wat je niet laten kunt – zolang je er maar een idee van burgerschap op na houdt.

Burgerschap *waarvan*?

Zodra je die vraag stelt, beginnen de problemen. Veel kwesties die Nederland het afgelopen decennium in een wurggreep hebben gehouden, hebben te maken met bedreigde identiteit en culturele eigenheid. Dat is het misverstand: niet zozeer de rechtsstaat staat ter discussie, als wel het vermogen van de rechtsstaat om die vermeende dreigingen het hoofd te bieden. De Nederlandse samenleving staat onder druk van globalisering en immigratie. Die druk heeft 'cultuur' tot een allesoverheersende obsessie gemaakt.

Die emotie werd samengevat in de uitroep van de bejaarde Limburgse PVV-stemmer op de avond van de Statenverkiezingen: 'Minder moskees, meer carnaval!' Vervolgens verschoof de boel en moest de drachme terug naar Griekenland. En daarna moest de gulden weer naar Nederland.

Ik moet glimlachen wanneer ik licht verontwaardigde economen in praatprogramma's hoor uitleggen dat terugkeer van de gulden geen reële optie is. Dat we er de problemen niet mee buiten de deur houden en dat het ons uiteindelijk meer kost dan het oplevert. Dat zijn rationele overwegingen – en in dit geval doen rationele overwegingen er niet toe. Het gevoel van dreiging doet mensen terugvallen op hun culturele eigenheid. De gulden is een symbool daarvan, net als carnaval. De gulden is cultuur. De euro is *het probleem*.

Cultuur en identiteit – de grote blinde vlek van de weldenkenden.

Wat Nederland en Nederlandse cultuur is, het is inmiddels helemaal het terrein van populisten, die deze begrippen vrolijk exploiteren. Dus praten de weldenkenden over burgerschap in plaats van Nederlanderschap – want dat laatste woord klinkt algauw verdacht, of nog erger, oubollig. Maar niet iedere vorm van nationale identiteit bedient zich van uitsluiting en verkettering. Welk begrip zou de met uitzetting bedreigde Afghaanse Sahar en de Angolese Mauro meer hebben aangesproken: Nederlanderschap of burgerschap?

Daarbij, vrijwel altijd wordt burgerschap op een bevoogdende wijze gebruikt. Zelden of nooit betrekt de spreker het op zichzelf. Wie Nederlands burger wil worden, moet de kernwaarden van onze samenleving onderschrijven, heet het. Nog nooit heb ik iemand horen zeggen: *ik* onderschrijf de kernwaarden van deze samenleving. Het zijn altijd de anderen van wie dat wordt verwacht – de anderen voor wie we stiekem een beetje bang zijn.

Zo vorm je geen samenleving. Burgerschap is geen verlicht begrip in duistere tijden. Het is een angstig en leeg woord.

•

Scherp profiel

U lag er niet wakker van, maar onlangs is besloten het Museum Gouda niet te royeren als lid van de Nederlandse Museumvereniging. Het museum had het schilderij *The Schoolboys* van Marlene Dumas uit de collectie op eigen houtje voor een kleine miljoen euro laten veilen bij Christie's, naar eigen zeggen om een faillissement af te wenden. Alle regels waren met voeten getreden, het schilderij had eerst aan andere Nederlandse musea moeten worden aangeboden. De museumwereld sprak er schande van en eiste sancties. De voorzitter van de vereniging liet weten dat het hier om een principekwestie ging: 'De leden vinden principieel dat een museum nooit collectiestukken mag verkopen om de financiële nood te lenigen. Zeker in tijden van bezuinigingen, waarin musea onder druk staan, is het belangrijk dit principe te onderstrepen.'

Maar nu zijn we een paar maanden verder – en bovendien in Nederland. En een ruime meerderheid van de musea stemde ineens tegen een royement. De huidige voorzitter van de Museumvereniging ziet in de ommezwaai enkel standvastigheid: 'Vandaag is geconstateerd dat de eenheid bewaard moet blijven. De rijen hebben zich gesloten.' Heeft de verkoop van het topstuk dan helemaal geen gevolgen? Jawel, wat dacht je. De musea gaan gezamenlijk eens goed naar de bestaande regels kijken. 'We staan achter het beheer en behoud van de collecties.'

Principes in Nederland – we staan er pal voor, totdat ze consequenties dreigen te krijgen. Je zag dat al aan de protesten tegen de radicale bezuinigingen op cultuur. Een zomer lang stond niets minder dan de beschaving op het spel, de kunstwereld moest een gesloten front vormen. Een paar maanden later duwde men elkaar opzij om bij Halbe Zijlstra op schoot te mogen.

Ook de Goudse cultuurwethouder, Daphne Bergman, heeft principes. Voor de beslissende vergadering van de Museumvereniging, publiceerde ze een apologie in *de Volkskrant*. Waarom had zij ingestemd met de lukrake verkoop van *The Schoolboys*? Simpel: omdat het schilderij niks met Gouda te maken had.

Huh?

De wethouder legt uit. Museum Gouda heeft zich geprofileerd als een museum voor hedendaagse kunst. Dat is mooi, maar het ging ten koste van een 'scherp profiel'. Om dat profiel scherp te krijgen gaat het museum zich 'de komende jaren presenteren als het geheugen van Gouda en dé plek voor wie de geschiedenis en kunst van Gouda wil ontdekken en beleven. Als wethouder steun ik deze keuze.'

Wat zijn de gevolgen van die keuze? Bergman: 'Consequentie is dat moderne kunst die geen directe relatie heeft met Gouda, wordt afgestoten. Dat is een breuk met de koers van de afgelopen jaren. En dat doet pijn.'

Welnee, dat doet helemaal geen pijn. Dat is een manoeuvre die door de boerenpoliticus Henk Bleker is uitgevonden: zeggen dat je er zelf echt de pest over in hebt, dat het geen schoonheidsprijs verdient en dat je, dat mag u best weten, er slapeloze nachten van hebt gehad – de nieuwe mantra van bestuurders die gewoon hun schaamteloze gang willen gaan. Deze wethouder van de kosmopolitische partij D66 stemt in met de illegale verkoop van een topstuk uit haar museum omdat het niet provinciaals genoeg is. Het schilderij van Dumas is voorgoed uit Gouda verdwenen – dat doet pijn – maar het Museum Gouda krijgt er wel een scherp profiel door. De collectie Goudse kleipijpen kan volledig intact blijven.

Het was dus helemaal geen noodgreep. Het was gewoon beleid.

De affaire rond de stiekeme verkoop van het schilderij legt iets onverkwikkelijks in de Hollandse bestuurscultuur bloot. De directeur van het museum, Gerard de Kleijn, die alle regels faliekant negeerde omdat hij ze 'achterhaald' vond, mag blijven zitten. Zijn museum mag ongestraft blijven genieten van de voordelen van het lidmaatschap van de Museumvereniging. De vereniging heeft 'de rijen gesloten'. Wethouder Bergman werkt stug door aan haar scherpe profiel.

Alleen het schilderij van Dumas zien we nooit meer terug. Dat is meer dan wanbeleid. Dat is een schandaal.

•

Levenslang

Ik had geen hoge verwachtingen, maar *De Heineken Ontvoering* bleek een formidabele film. Waar filmrecensenten vooral een mooi aangeklede anekdote zagen, met hier en daar onhandig spel, daar werd ik geconfronteerd met een verhaal dat iets pijnlijks vertelt over de relatie tussen dader en slachtoffer.

Heineken, mooi neergezet door Rutger Hauer, probeert na zijn ontvoering wraak te nemen op zijn ontvoerders; in het bijzonder op de Holleeder-figuur, in de film Rem geheten. Met alle middelen die tot zijn beschikking staan, probeert het slachtoffer wat hem is aangedaan ongedaan te maken. In de cel waar hij tijdens zijn ontvoering vastgehouden werd, werd Heineken tot op het bot vernederd door Rem/Holleeder. Na zijn vrijlating wil hij met gelijke munt terugbetalen.

Dat blijkt onmogelijk. Wraak blijkt een gerecht dat niet gegeten wordt. Straf betekent geen genoegdoening. Slachtoffers blijven precies dát – slachtoffers.

Het cliché dat slachtoffers van criminaliteit of hun nabestaanden doorgaans na het vonnis van de rechtbank in de mond nemen – 'maar wij hebben levenslang' – blijkt de onverteerbare werkelijkheid. Dat besef wordt in de slotscène van *De Heineken Ontvoering* toegediend met de kracht van een mokerslag.

Kunst, Picasso zei het, liegt de waarheid. Wat *De Heineken Ontvoering* (scenario van Kees van Beijnum) laat zien, is een waarheid die in alle discussies over strenger straffen, spreektijd voor slachtoffers, D66-rechters en het recht op zelfverdediging wordt genegeerd of ontkend: dat een samenleving in laatste instantie onmachtig staat tegenover geweld. We kunnen straffen, we kunnen nog strenger straffen, we kunnen zelfs de doodstraf weer invoeren. Leed ongedaan maken kunnen we niet.

In de nasleep van een lukrake moordpartij in Luik onlangs ging het meteen weer over de vraag of dit tegengehouden had kunnen worden, en of zulke daden in de toekomst door strengere wetgeving en handhaving voorkomen kunnen worden. We kennen het antwoord. Het zal de discussies niet tegenhouden – want dat zijn *bezweringen*. Er is iets gebeurd wat niet had mogen gebeuren. Daarom gaan we de zaken nu voorstellen alsof ze niet hadden hoeven gebeuren.

Geweld is macht. Ook zinloos geweld – of juist. Het terrorisme van de eenentwintigste eeuw is zich daar bij uitstek van bewust. Wanneer je een gezagsdrager opblaast, is dat schokkend en ontregelend, maar geen directe reden voor de burger om zichzelf bedreigd te voelen. Wanneer je lukraak vernietigt – met een wolkenkrabber, een kerstmarkt of een discotheek als doelwit – jaag je een hele maatschappij angst aan. Iedereen kan getroffen worden, op iedere plaats, op ieder uur van de dag.

Sinds enige tijd lijkt het terrorisme deels geprivatiseerd. Onbeduidende jongens en mannen die woedend op de wereld zijn, kunnen door willekeurige moordpartijen hun macht doen gelden. Als er ideologie is, is dat vaak slechts een excuus: de vijftigjarige rechtsextremist die in Florence gericht het vuur opende op Senegalese marktventers, had een groep in zijn vizier, geen individuen. De plegers van de zogenaamde Kebab-moorden in Duitsland eveneens. Daarna volgt meestal zelfmoord, waarmee de angst voor inkeer, wroeging en empathie met de slachtoffers de pas wordt afgesneden. Een dode dader, dat is het ultieme machtsvertoon.

Hoe moet een samenleving daarmee omgaan? Door strenger te straffen? Wat in *De Heineken Ontvoering* mooi zichtbaar wordt, is hoe menselijk de behoefte aan wraak is. Juist omdat leed niet meer ongedaan kan worden gemaakt, is er de drang om de ander dan ook maar iets aan te doen. Gelijke munt, oog om oog. Dat deden onze voorouders ook, totdat ze doorkregen dat het dan nooit meer ophoudt; bovendien blijkt je eigen pijn er niet minder van te worden. Dus mocht voortaan alleen de staat nog geweld plegen. Wie tegen eerwraak is, kan niet voor eigenrichting pleiten.

Het zal blijven knagen. De roep om straf als wraak is niet langer taboe meer. Dat een dader zichzelf macht verschaft door met geweld iets op te eisen wat hem door de maatschappij nooit meer kan worden afgenomen, namelijk zijn daderschap – het blijft onverteerbaar. Maar om geweld te boven te komen heeft een samenleving niet meer kracht nodig, maar veerkracht.

•

Niggabitch

Er zijn weken dat ik de *Jackie* niet onder ogen krijg, maar nu zangeres Rihanna fel uitgehaald heeft naar het meisjesblad is er geen ontkomen aan. Was het artikel over de *niggabitch* racistisch?

Het blad is er zelf nog niet uit: de hoofdredactrice twitterde na de eerste ophef excuses en kondigde een rectificatie aan. Daarna trad zij af. De uitgever zei dat van rectificeren geen sprake kon zijn, aangezien er niks verkeerds in het stuk stond. 'Dat Eva [de hoofdredactrice] en *Jackie* worden neergezet als racistisch, dat pikken wij niet. Het is een fantastisch mens en de *Jackie* wordt gemaakt door leuke mensen.'

Leuke mensen – maar zijn ze zwart genoeg? Het stuk over de niggabitch – brutale meid type Rihanna, grote mond, draaiende heupen, hoerige kleren, seks seks seks – was ironisch bedoeld. Maar wat bedoel je in Nederland wanneer je iets ironisch bedoelt? Hiphopjournalisten, blanke mannen die weten dat alleen een zwarte zichzelf nigga mag noemen, distantieerden zich van die foute *Jackie*. Saul van Stapele: 'In het stuk van de *Jackie* krijg je de indruk dat zo'n modedame liggend op de bank met een wit wijntje iets lolligs heeft bedacht. Dit is net je foute oom die ooit een rapplaatje heeft gehoord en nu voortdurend "Yo, Yo, Yo" roept.'

Yo, je foute oom – het gaat dus niet om wat er wordt gezegd, maar wie het zegt. En waar. En wanneer. En hoe. Aan de kwestie-Jackie/niggabitch zie je hoe groot de verwarring is. In haar tweet aan de hoofdredactrice van *Jackie* sprak Rihanna ineens de verantwoordelijke taal van de zwarte burgerrechtenbeweging ('That's your contribution to this world! To encourage segregation'). Het is taal die je in haar timeline verder niet vaak tegenkomt ('I'm in a bomb ass mood today!'). Ze twittert regels uit haar teksten ('Suck my cockiness, lick my persuasion'), noemt zichzelf bitch en nigga en beklaagt zich even later over een blanke racist in een hotel die zwarte vrouwen sletten noemt.

Is dat hypocriet? Van minderheden die strijden tegen discriminatie wordt verwacht dat ze zich naar buiten toe modelburgers tonen; dat is niet vol te houden, en dus fungeert de eigen kring als een soort ventiel. Daar worden de ergste dingen over elkaar gezegd, de grofste vooroordelen bevestigd. Joden, zwarten, Marokkanen, homo's – je wilt het niet weten.

Maar in Nederland heeft ook de meerderheid genoeg gekregen van politiek correct verantwoordelijkheidsgevoel. Als zij het over zichzelf mogen zeggen, waarom wij dan niet over hen? Weg met die humorloze omzichtigheid, de hypocriete etiquette van mensen die alleen maar willen tonen dat ze aan de goede kant staan. Juist wanneer je iemand in zijn gezicht een pisnicht noemt, laat je merken dat je geen probleem met hem hebt. Toch? Toch? Kijk naar de Braboneger. Gewoon, omdat het eigenlijk *niet* kan.

In commentaren op de niggabitchkwestie was de teneur: Hollandse incorrectheid moet je snappen, in Amerika zijn ze gewoon nog niet zover. We konden ook al niet uitleggen dat geitenneuker niet serieus bedoeld was – of eigenlijk wel serieus, maar dan ironisch serieus. Alles beter dan schijnheilig.

In Nederland hebben we de oplossing gevonden voor racisme en uitsluiting: we hebben het beledigen gedemocratiseerd. Iedereen discrimineert gewoon iedereen. Wie voor nicht wordt uitgemaakt, moet niet denken dat-ie zielig is – wie jood, zwart, Belg, Limbo, Turk, vet, kaal, intellectueel of debiel is, krijgt het net zo hard te verduren.

In het buitenland zeuren ze maar door over de onwil van de Nederlanders om te erkennen dat Zwarte Piet eigenlijk pijnlijk racistisch is. Wij weten dat er niks kwaads mee wordt bedoeld. Toch?

Vandaar dus dat agenten door het lint gaan wanneer twee brave zwarte demonstranten het feestje dreigen te verpesten door hun mening over Zwarte Piet kenbaar te maken? In Amerika zouden die agenten geschorst worden, hier richt de woede zich op de humorloze antiracisten. Dat duidt op een kwaad geweten. Het is niet dat we zo fout zijn – maar dat we onszelf zo geweldig goed vinden.

•

Volksfeest

Mag het wat kosten? *EenVandaag* onderzocht wat de duurste gemeentelijke nieuwjaarsreceptie was geweest, en kwam weer bij Den Haag uit: 125.000 euro. Dat was een stuk minder dan vorig jaar, toen het nog anderhalve ton kostte. Het is namelijk nog steeds crisis, hoor.

De verslaggever ter plekke had, een tikje tendentieus, VVD'ers voor de camera gesleept bij wie het woord volgevreten enigszins tekortschiet. Verrassing: Ton Elias en Frits Huffnagel zaten er niet mee, met dat bedrag. Net als VVD-burgemeester Van Aartsen. Het ging immers om een volksfeest. Iedere Hagenees was welkom.

Buiten in de motregen stond een kniezende PVV'er. De beweging van Wilders, die bij de gemeenteraadsverkiezingen met acht zetels in de Haagse raad kwam (er zijn er nog zes over), boycotte de receptie ook dit jaar, omdat ze het 'elitaire borstklopperij' vindt. Toen de verslaggever hem voorwierp dat het om een volksfeest ging, ketste de man terug dat Den Haag meer inwoners telde dan de tweeduizend feestgangers. 'Ga de straat op om met de mensen te praten. Dat kost niets.'

Had hij gelijk? Nogal komisch is de manier waarop de bestuurlijke elite denkt de tijdgeest te slim af te zijn: als de elite onder vuur ligt, maken we gewoon voor een paar uur iedereen elitair. Kom er maar bij! Verder blijft alles intact, hapje, drankje, champagne – alleen bij het netwerken moet je nu een beetje handig langs volkse rolstoelers en aangeschoten bejaarden manoeuvreren. Voor een man als Van Aartsen is een volksfeest gewoon een uitgebreide receptie.

Mij lijkt dat veelzeggend. Het is crisis, er bestaat een groot wantrouwen tegen de politiek, in een stad als Den Haag is steeds minder sociale cohesie – in dat licht maakt dat peperdure 'volksfeest' een even naïeve als zelfgenoegzame indruk. Sociale cohesie versterk je niet door het volk zich een paar uur lang gratis vol te laten gieten in het stadhuis.

Dezelfde blindheid tref je ook aan op andere terreinen. Een paar jaar geleden werd door het ministerie van OCW de Johannes Vermeer Prijs ingesteld, een nieuwe 'staatsprijs voor de kunsten'. Het gaat om een bedrag van een ton – met de organisatiekosten erbij zit je jaarlijks al snel op de prijs van een Haagse nieuwjaarsreceptie.

De gedachte erachter moet parallel gelopen hebben aan die van de Haagse receptie nieuwe stijl: het draagvlak voor de kunsten in Nederland wordt kleiner, dus gooien we er jaarlijks een ton tegenaan, dan komt die uitstraling vanzelf wel weer terug.

De Johannes Vermeer Prijs – als u ervan gehoord heeft, dan werkt u voor het ministerie. Of u heeft hem zelf gewonnen. Er wordt alleen plichtmatig over geschreven, zoals tegenwoordig over bijna alle prijzen. De Johannes Vermeer Prijs versterkt het elite-idee van de kunsten alleen maar, zoals de Haagse receptie het idee van een champagne drinkende elite alleen maar versterkt.

Men wil iets nieuws, maar men zit hopeloos vast in een achterhaald stramien. Men mikt op brede aandacht, maar uiteindelijk raakt men steeds meer van de samenleving geïsoleerd. Ik gun de Vermeer-winnaars hun prijs, maar behalve zijzelf heeft niemand er wat aan.

Zo snel mogelijk afschaffen. Dat zal ook wel gebeuren, maar het vrijgekomen geld zal niet worden gebruikt om burgers meer in aanraking te laten komen met kunst en cultuur. Net zoals de Haagse PVV het geld dat bespaard kan worden op die kostbare nieuwjaarsreceptie niet zal willen gebruiken voor het werkelijk bevorderen van sociale cohesie tussen bevolkingsgroepen in Den Haag.

Dat maakt de kritiek niet minder raak.

Een receptie, een prijsuitreiking – het zijn bij uitstek institutionele manieren van omgang, voortkomend uit een besloten, traditionele cultuur die tegenwoordig aan alle kanten wordt uitgedaagd, echt niet alleen door de PVV. Het zijn antieke doekjes voor het bloeden, een middel om het gebrek aan werkelijke betrokkenheid te maskeren. Doe er wat aan, verzin iets wat nieuw is. Voor het te laat is.

Natuur

Niet eens zo lang geleden vonden we elkaar in onze liefde voor de natuur. Groen – het woord alleen al riep een gevoel van weldadige betrokkenheid op. De strijd voor een beter milieu was niet langer het domein van links activisme. Dit was een zaak die ons allen beroerde. Onze huidige premier muntte de term Groen Rechts – hij schreef er een pamflet over. Leden van de VVD bezochten in groepsverband een voorstelling van Al Gores documentaire *An Inconvenient Truth*. Ze kwamen met rode konen de zaal uit.

Het bleek een luchtspiegeling. In een van die stemmingswisselingen die de Nederlandse samenleving zo dynamisch maakt, werd het groene sentiment razendsnel vervangen door een aan cynisme grenzende scepsis.

Asfalt is ook natuur, als je erover nadenkt.

Die omslag staat niet op zichzelf. Op andere terreinen tref je eenzelfde reactie tegen aannames die tot dusver min of meer vanzelf spraken. Niet zozeer de goede zaak zelf, maar vooral de belangenbehartigers van die zaak zijn het doelwit van agressief wantrouwen.

Neem het tegenovergestelde van de natuur – de cultuur. De laatste decennia leek er consensus te bestaan over de noodzaak van een zo rijk en divers mogelijk cultureel leven, en de rol die de overheid daarbij moest spelen. Kunst maakt de mens – en dus mag het best wat gemeenschapsgeld kosten.

Niet langer. De pleitbezorgers van kunst- en cultuursubsidies zijn nu de vijanden van het volk, vertegenwoordigers van een in zichzelf gekeerde elite, die haar exquise preoccupaties gebruikt om zich beter te voelen dan gewone mensen, die ook nog eens voor de kosten moeten opdraaien. De samenleving draait overuren om de dure hobby van een enkeling te bekostigen.

Hetzelfde zie je nu gebeuren met het Nederlandse natuurbeleid. Ook daar tref je bij de verantwoordelijke instanties ongeloof en ontzetting aan over de botte manier waarop tegen heilige huisjes wordt aan geschopt. Staatssecretaris Henk Bleker bezuinigde meer dan 70 procent op natuurbeleid – en de volksopstand bleef uit.

Net als bij de kunsten wordt nauwelijks nog over intrinsieke waarden gesproken. Wat geldt is rendement. De instanties die over natuurbehoud gaan wordt hetzelfde verweten als de culturele instellingen. Te veel in zichzelf gekeerd, verslingerd aan een gedachtegoed dat onwerkelijke trekken heeft gekregen. Anders gezegd, de korenwolf regeert.

Waarom hebben de natuurbeschermers zich zo gemakkelijk in het defensief laten dringen? Is het enkel en alleen de botheid van figuren als Bleker? Was het maar waar. In zijn voorwoord bij de *Natuurverkenning 2010-2040* verwoordt de directeur van het Planbureau voor de Leefomgeving Maarten Hajer het subtiel: 'Natuurbeleid was de laatste decennia sterk gericht op het behoud van biodiversiteit [...] Aandacht voor de achteruitgang van vooral kwetsbare plant- en diersoorten heeft een sterk procedureel en juridisch karakter gekregen. De aandacht voor beleving en benutting van natuur is op de achtergrond geraakt.'

De woorden van Hajer gaan over natuurbeleid, maar je kunt ze toepassen op alle andere gebieden waarop ons eens zo vaste geloof aan het wankelen is gebracht – op het gebied van het kunst- en cultuurbeleid, maar ook op het integratiebeleid en op de Europese eenwording. Op al die gebieden is het idealisme sterk verambtelijkt. Bevlogenheid lijkt te hebben plaatsgemaakt voor procedure, men lijkt eerder bezig met het halen van quota en het volgen van richtlijnen, dan het kweken van draagvlak bij de samenleving.

De burger is buitenstaander. Hij voelt dat er iets voor hem wordt afgeschermd. Vertegenwoordigers van het geïnstitutionaliseerde idealisme spreken weliswaar nog vanuit een algemeen belang, maar dat belang wordt niet meer gevoeld.

En zo krijgen cynici ruim baan. De politicus die populariteit zoekt werpt zich op als vertegenwoordiger van belangen in plaats van idealen.

Zoals de wereld van kunst en cultuur met zichzelf in discussie moet om een nieuwe verhouding tot de samenleving te vinden, zo moeten vertegenwoordigers van het natuurbeleid nieuw elan vinden om betrokkenheid te wekken bij de burger voor zijn natuurlijke omgeving. Geen procedures. Hartstocht.

•

Verhaal

De crisis in het CDA, de crisis in de PvdA: traditionele gemeenschapspartijen die hun gemeenschap kwijt zijn. Bekende je je vroeger tot zo'n partij, dan kreeg je daar een heel wereldbeeld bij, compleet met hoopvolle toekomstverwachtingen. En rustgevende woorden natuurlijk, woorden als 'solidariteit' en 'rentmeesterschap'. Je was onderdeel van iets.

Het heet dat beide partijen zich van hun achterban hebben vervreemd. Het omgekeerde gaat ook op. Zowel de sociaal- als de christendemocratie is een museumstuk geworden. Fijn om op terug te kijken, maar je moet er niet aan denken dat de rode dageraad alsnog zou aanbreken.

In een land van twitteraars hoef je niet met lange, 'bindende' verhalen aan te komen. In een land waarin het om personen en persoonlijk draait, lijken vage leuzen als 'Kiezen en verbinden' afkomstig uit de prullenbak van een failliet reclamebureau.

Daarbij, woorden – in een nogal dodelijke column in *NRC Next* liet Rob Wijnberg zien dat het CDA bij een vorige herbronning in 1995 al met precies dezelfde frases op de proppen kwam als zeven jaar later. Het nieuwe verhaal bleek, in de beste domineestraditie, een oude preek.

'In een snel veranderende wereld...'

De twitteraars waren er snel klaar mee: dat hele idee van een 'verhaal' was vaag en modieus. Typisch zo'n woord. Waar eerst geklaagd werd over kortzichtige incidentenpolitiek, klonk nu hoon over de behoefte aan 'het verhaal'. Bovendien hebben we in de politiek altijd met twee werkelijkheden te maken: behalve om idealen gaat het ook altijd nog om macht.

In het CDA was de balans tussen die twee de laatste jaren een beetje zoek geraakt.

Maar die behoefte aan een nieuw verhaal? Is dat zo onzinnig?

Het politieke midden is gevaarlijk gebied: wie zich er ophoudt krijgt te maken met ogenschijnlijk radicaal tegengestelde krachten en belangen. Allereerst de spanning tussen individu en samenleving. Wat ben je die samenleving verschuldigd? In hoeverre mag de overheid zich met jouw vrijheid bemoeien? Is er naast het persoonlijke ook nog een algemeen belang? En vooral: hoe verhouden die twee zich tot elkaar?

Kun je bankiers hun graaizucht verwijten, zolang je geen idee hebt wat dat algemeen belang is, zolang het een negatief begrip blijft, iets om de ander in zijn gezicht te wrijven – omdat hij graait, misbruikt, hardop in de trein belt, zijn kinderen niet goed opvoedt en een met gemeenschapsgeld betaalde gouden Mercedes of Maserati onder zijn kont wil hebben? Zo'n boerkaverbod is symboolpolitiek, maar juist dat symbolische geeft aan dat het om meer gaat dan een praktische maatregel voor soepel maatschappelijk verkeer. Het is een *morele* kwestie.

Het is zinnig daarover na te denken. Als je vindt dat de overheid zo weinig mogelijk moet bestieren, of juist zoveel mogelijk, ben je er snel uit. Vind je, zoals ik, dat de overheid ook een morele verantwoordelijkheid in de samenleving heeft, dan komen de dilemma's van alle kanten op je af. Tot hoever dan?

Het tweede spanningsveld: dat tussen de kleine, vertrouwde wereld en de grote, ongrijpbare wereld. Wanneer de PVV slinkt, groeit de SP, en andersom – beide partijen keren zich tegen wat ze als de schadelijke effecten van globalisering zien. De een verzet zich tegen de komst van een moskee, omdat onze 'vrijheid' wordt aangetast, de ander tegen het weghalen van een fabriek, vanwege de lage lonen in Zuid-Korea. Beide partijen willen beschermen, beide menen dat het weefsel van de samenleving wordt aangetast. Economische bescherming is nu even belangrijker dan culturele.

Een middenpartij die het zich niet gemakkelijk wil maken, kan die spanningen niet ontkennen. Ze moet die in een reëel verhaal zien onder te brengen. Het gaat om echte, pijnlijke dilemma's. Een algemeen verhaal hoeft niet uit algemeenheden te bestaan.

•

Koorts

Ik heb griep, dus kijk veel televisie. Toen ik NOS-verslaggever Kees van Dam van de week voor de vierentachtigste keer met een microfoon op een bevroren sloot zag staan en de kansen op een Elfstedentocht somber inzag, dacht ik: wonderlijk hoe Nederland zijn eigen teleurstellingen organiseert. Iemand zou dat eens moeten uitzoeken. Waarom na het eerste voorzichtige speculeren altijd weer de remmen los gaan, verwachting wordt aangezien voor werkelijkheid, hoop doorslaat in overmoed – met zo veel rotsvast, blind geloof, dat alleen keiharde ontnuchtering ons weer terug naar de realiteit kan brengen.

'Heeft men in Friesland zich er al een beetje mee verzoend, Kees?'

Natuurlijk. Gewoon schaatsen is toch ook fijn? Daarbij schijnt het weer te gaan vriezen, dus misschien zit het er nog in. En anders hebben we het EK voetbal nog. Grote kans dat we dat winnen.

Nadat de nationale ballon die Elfstedentocht heet was leeggelopen, was het tijd voor de duiding – want op onze hysterie volgt onvermijdelijk de vraag waarom we zo hysterisch deden. In *NRC Handelsblad* buitelden de sociaal-cultureel-historische verklaringen over elkaar heen. Schaatshistoricus Marnix Koolhaas: 'Op het ijs gelden geen wetten. De wereld op zijn kop. Heel carnavalesk.' Cultuurhistoricus Gerard Rooijakkers: 'Het ritueel is én herkenbaar én levendig. Het is herkenbaar omdat het zich voltrekt langs vaste patronen. De rayonhoofden die samenkomen, het meten van het ijs. En tegelijkertijd is er chaos. Want iedereen is volledig afhankelijk van het weer. Dat brengt het ritueel tot leven.' Socioloog Abram de Swaan: 'Mensen hebben het gevoel: die schaatswedstrijd is Nederlands. Water is onze wildernis, de vaarten zijn onze bergen. Af en toe is het aardig zich die identiteit aan te meten.'

Klinkt allemaal redelijk. Maar het verklaart de passie, niet de hysterie. Wie zich van een band met het verleden verzekerd weet, hoeft dat niet van de daken te schreeuwen; wie een gevoel van identiteit koestert, hoeft dat niet ieder uur van de dag uit te dragen in de media. Vanwaar die *overkill*, dat mateloze geleuter? Waarom die totale uitverkoop van journalistieke zelfbeheersing? Andere landen hebben ook tradities die ze met overgave in stand proberen te houden – maar ze offeren er niet dagelijks de helft van hun journaal aan op.

Vingers wijzen nu naar de media – die hebben de boel opgeklopt, verwachtingen gewekt die niet reëel waren, de waan tot krankzinnige proporties opgeblazen. Dat is zo. Maar de media reflecteren onze behoeften. Henk Hagoort, de hoogste baas bij de publieke omroep, vertelde mij eens dat wanneer er in Nederland iets opmerkelijks gebeurt – een vliegramp, een kampioenschap – de Nederlandse tv-kijker er geen genoeg van krijgt. Men wil van de vroege tot de late avond dezelfde mensen over dezelfde onderwerpen zien. Steeds dezelfde koppen op het scherm doen de kijkcijfers niet dalen, maar juist stijgen. Wie deze week met iets anders dan de Elfstedentocht durfde aan te komen, plaatste zichzelf buiten de orde.

Iedereen springt erbovenop, iedereen probeert een graantje mee te pikken – er wordt niet langer beschouwd, er wordt gezamenlijk gezwolgen. Die hang naar collectieve opwinding en aandacht zegt misschien meer over onze nationale geestesgesteldheid dan bespiegelingen over onze eeuwenoude band met het water. Het verklaart ook waarom we, na de ontnuchtering, zo verbazingwekkend gemakkelijk onze schouders ophalen. De zaak zelf was kennelijk altijd meer middel dan doel.

Opwinding is verslavend, met hartstocht heeft het niks te maken. Bij de hype rond de kansloze Elfstedentocht liepen beide emoties door elkaar heen: een authentieke traditie die ten prooi viel aan een opgeklopte, holle emotiecultuur. Vandaar dat die Friese nuchterheid zo hysterisch vaak geprezen werd. Vandaar dat er na de onvermijdelijke ontnuchtering veel stukken verschenen waarin beschreven werd hoe fijn het was dat ons land op sommige momenten een eenheid kon zijn, verenigd in een sportieve hartstocht, waardoor alle onderlinge geschillen even verdwenen.

Yeah right.

•

Lawaai en woede

Nadat blogger en commentator Andrew Breitbart op het trottoir van een dure wijk in Los Angeles was bezweken aan een hartaanval, werd hij door nagenoeg alle Amerikaanse republikeinen de hemel in geprezen. Santorum: 'Een groot verlies.' Romney: 'Een onverschrokken conservatief.' Gingrich: 'De meest vernieuwende pionier op het gebied van conservatief activisme in de Amerikaanse sociale media.'

Zijn erfenis? Breitbart, die stierf op zijn drieënveertigste, stond aan de wieg van *The Huffington Post*, had een column in *The Washington Times*, bezat verschillende websites. Hij was vooral bekend als politieke schreeuwlelijk. Hij speelde de hoofdrol in schandaaltjes: het was Breitbart die de foto's lekte waarop Congreslid Anthony Weiner zijn stijve piemel toonde, hij was het die beelden manipuleerde waarop een zwarte vrouwelijke ambtenaar racisme ten opzichte van blanken leek te prediken. Weiner moest aftreden, de vrouw raakte haar baan kwijt. Op het web vind je fragmenten waarin hij zijn tegenstanders luidkeels voor rotte vis uitmaakt. Wie het waagde hem tegen te spreken, was een 'despicable human being'. Breitbart genoot er zichtbaar van. Het bleek alleen niet zo goed voor zijn hart.

Wat bewoog hem? Op zijn websites gaat het vooral om een oneindige stroom verdachtmakingen richting alles wat progressief of democraat heet te zijn. Iedere dag opnieuw wordt Obama ontmaskerd. Beschuldigingen, insinuaties – en zo nu en dan een heksenjacht. Het is voortdurend aanvallend spel, zonder dat een persoonlijke inzet zichtbaar wordt – het vernietigen van de tegenstander lijkt een doel op zich.

In een in memoriam werd Breitbart beschreven als 'half entertainer, half politiek activist'. Op zijn Wikipagina wordt hijzelf geciteerd: 'I'm committed to the destruction of the old media guard. And it's a very good business model.' Volgens een journalist van *The*

New York Times voorzag hij in de onstilbare behoefte van de media aan 'materiaal'.

Er was, kortom, altijd wat.

Half entertainer – misschien is dat wel de meest verrassende tendens van de afgelopen jaren, dat maatschappelijke kwesties en vooral de politiek zelf tot een vorm van vermaak zijn geworden. De verwachting was anders: cultuurpessimisten vreesden altijd dat de hedonistische mens zich van de wereld zou afkeren en zich met louter trivia zou bezighouden – niet dat hij de wereld *zelf* zou trivialiseren. Nog niet zo lang geleden waagde een politicus zich af en toe – dat wil zeggen, tegen verkiezingstijd – in het domein van de populaire media, waarin hij dan meestal een beetje onhandig populair ging doen. Een laatste echo daarvan zagen we toen kortstondig PvdA-lijsttrekker Job Cohen in een middagprogramma voor bijnabejaarden de polonaise deed.

Das war einmal. De kandidaten voor het partijleiderschap van de PvdA na Cohen werden voortdurend op televisie aangesproken op hun vermogen om met de populaire media om te gaan. Wanneer je niet eens bestand bent tegen Matthijs of Rutger, hoorde ik steeds, dan gaat het je tegen Wilders ook niet lukken.

Het is die nieuwe orde waarin de politicus Cohen ten onder ging. Ik vermoed dat voor de essayist Anil Ramdas, die in 2012 zelfmoord pleegde, hetzelfde gold. Waar hij, denk ik, niet tegen kon, was niet zozeer dat zijn opponenten in het integratiedebat post-Fortuyn er een andere mening op na hielden, maar dat ze een heel ander spel leken te spelen. Dat was het spel waarin een man als Breitbart zich juist zo bedreven toonde – prikken, honen, half serieus, maar vooral hyperbolisch.

Ramdas nam die handschoen op; hij ging terugschelden tegen mensen die het woord intellectueel alleen gebruiken in combinatie met quasi. Met als resultaat dat hij in een naargeestige maalstroom van beledigingen over en weer terechtkwam – veel reacties onder zijn columns op de site van het Vlaams-Nederlandse culturele instituut De Buren waren onbeschaamd racistisch. Het is een strijd die je niet kunt winnen – omdat voor je tegenstanders de strijd zélf het genot is.

Maar de Breitbarts van deze wereld, winnen die? Van zeer aanwezige mensen wordt na hun dood gezegd dat zij een leegte achterlaten. In het geval van Breitbart klinken die woorden akelig wrang. Een hoop lawaai en woede, zonder betekenis.

•

Kapotgaan

Noem het de humanistische reflex: wanneer een groep mensen in de samenleving in de hoek wordt gezet, ontstaat bij weldenkenden als vanzelf de neiging ze de hemel in te prijzen – het liefst in een museum. Dus opende in Den Haag de expositie *Polen, onze buren*, die 'een positiever beeld' van de Polen wil laten zien. Het is zo ongeveer zoals je het je voorstelt: 'Chopin, componist en virtuoos pianist, paus Johannes Paulus II, een grote steun voor de vakbond Solidarnosc, Polanski, die we allemaal kennen van zijn beroemde films als *Rosemary's Baby* en *The Pianist*, en Copernicus, astronoom met een wereldschokkende theorie over het zonnestelsel, krijgen ook aandacht. (...) Een bekende Poolse voetballer en jeugdtrainer bij Feyenoord, Wlodzimierz Smolarek, kan natuurlijk niet ontbreken.'

Beetje geschiedenis, beetje populaire cultuur, beetje voetbal – de PVV siddert. Polen-hetzers kruipen diep in hun schulp. Op de opening waren veel hoogwaardigheidsbekleders – en godzijdank één iemand uit het volk, de rapper Mr. Polska. Deze Poolse posterboy is van de straat, heeft een grote mond, een gouden hart. Ideaal – hij opende de tentoonstelling.

Tegen *NRC Handelsblad* bekende Mr. Polska dat dit de eerste keer was dat hij 'vrijwillig' een museum bezocht. Hij liep er vooral gapend rond, kon niet wachten op het weekend, wanneer hij het clubcircuit weer in kon. 'Kapotgaan, springen, zuipen en mensen met blauwe plekken naar huis sturen.' Volledig geïntegreerd dus.

Natuurlijk was daar ook Rutger van *PowNews*, die in een column van de Amsterdamse politieman John Beerman had gelezen dat een grote groep Polen en Roemenen een 'brandend spoor van ellende' achterlaten. Onder de 1800 recentelijk opgepakte verdachten, aldus de buurtregisseur, bevonden zich 317 Polen, 253 Roemenen en 206 Litouwers. 'Eenmaal hier geproefd van onze onnozele politieke en burgerlijke goedgelovigheid, milde straffen en soms grenzeloze gastvrijheid, willen juist de verkeerden niet meer terug.'

Daar zag je op de Haagse expositie – raar was dat – niets van terug.

Waarom kost het zo veel moeite reële maatschappelijk problemen precies dat te laten zijn – reële maatschappelijke problemen? Het antwoord is even simpel als complex: die problemen roepen emoties op die een stuk minder reëel zijn. Zoals altijd gaat het vooral om de scheve blik van de ander. De organisatoren van de goedbedoelende Polen-tentoonstelling denken tegenwicht te bieden aan de aangeversmentaliteit van de PVV – terwijl de *PowNews*-kijker door die rooskleurige tentoonstelling alleen maar bevestigd wordt in waar hij iedere avond bevestigd in wil worden, namelijk dat Nederland bestuurd wordt door een elite met oogkleppen op, onwillig tot de laatste snik om de naakte feiten onder ogen te zien. Er zijn heus niet alleen maar slechte Polen! Je moet niet doen of alle Polen goed zijn! Iedereen zegt dingen waarvan hij weet dat ze overdreven zijn, om tegenwicht te bieden aan de overdrijvingen van de ander.

De expositie *Polen, onze buren* is pijnlijk naïef. Denken de organisatoren echt dat iemand vol vooroordelen bij het zien van een paar Poolse voetbalschoenen beseft dat hij niet alle Polen over één kam moet scheren, toch maar eens een film van Polanski huren?

Woede bestrijd je niet met sentiment.

Er loopt een dunne lijn tussen problemen benoemen en groepen stigmatiseren – de PVV doet consequent het laatste en beroept zich vervolgens op het eerste. Maar zo'n tentoonstelling in Den Haag heeft net zo weinig met de maatschappelijke werkelijkheid te maken als dat Polen-meldpunt.

Het doet me denken aan het Parlementarium, het nieuwe bezoekerscentrum van het Europees Parlement. Daar kunnen Europese burgers nu door middel van een permanente tentoonstelling volledig interactief genieten van de zegeningen van een Verenigd Europa, als weermiddel tegen de groeiende scepsis tegen de Europese instituten: 'De stemmentunnel dompelt ons onder in de erfenis van Europa's meertaligheid, en dankzij tactiele 3D-modellen kunnen we het Europees Parlement verkennen op zijn drie werklocaties – Brussel, Straatsburg en Luxemburg.'

Met zulke pleitbezorgers heb je Mr. Polska niet nodig om kapot te gaan.

Grapje

Waar het multiculturele drama toe kan leiden, zagen we in een aflevering van het Vlaamse quizje *Blokken* – althans in de compilatie die *De Wereld Draait Door* ervan uitzond. Een kandidaat van Turkse afkomst kreeg een stortvloed van grapjes over zijn afkomst te verduren, terwijl presentator Ben Crabbé hem bekeek alsof hij net een exotisch wezen in zijn studio had aangetroffen. 'Hebben ze in Turkije ook televisie?'

Het werd een relletje zoals ook wij ze kennen: Vlaamse intellectuelen stond het schaamrood op de kaken, Crabbé werd racist genoemd – wat fel weersproken werd. 'Verzuurde antiracisten,' twitterde het verongelijkte wonderkind van het Vlaams populisme, Filip Dewinter, die net een meldpunt had geopend waar Vlaamse burgers illegalen kunnen aangeven. Anderen namen het voor Crabbé op: de compilatie vertekende het beeld, de presentator maakte flauwe grapjes over alle kandidaten. In *De Standaard* constateerde de tv-criticus: 'Ben Crabbé is geen racist. Ben Crabbé, waarde noorderburen, is een gezonde Vlaamse bink met een zwak voor de volkse grap. In *Blokken* neemt hij al zestien jaar iedereéén in de zeik.'

Het was juist heel verlicht van Ben – als je grappen over Hollanders maakt, waarom dan niet over Turken? De kandidaat zelf zat er niet mee: 'Zelfs in mijn omgeving was niemand geschoffeerd.'

Ben leefde dus niet nog in het koloniale tijdperk, zoals Matthijs had opgemerkt, hij was de politieke correctheid juist voorbij – zoals mannen die hun homoseksuele vrienden voor nicht uitmaken, juist omdat ze willen laten zien dat ze er niks tegen hebben. Niks aan de hand dus.

Alleen: toen mocht Ben zelf ook nog wat zeggen. Hij had helemaal niet gelachen om de naam van de kandidaat, zei hij, hij struikelde er gewoon steeds over. En hij had de man helemaal niet 'minderwaardig behandeld', hoewel 'veel mensen zich misschien ook zullen afvragen wat een Turkse man in een Vlaamse show doet'.

De naam van de kandidaat was Soner Ceylan. Hij is 32 jaar oud. Hij is geboren in Vlaanderen.

Is het in Nederland anders? Ik vraag het me af – ook al is de 'volkse grap' hier een stuk minder populair, je vindt hem alleen nog in de *Panorama*. Zelfs de Belgenmop lijkt uitgestorven.

Maar verder? Toen een dikke tien jaar geleden het integratiedebat losbarstte, ging het vooral over uitgebleven aanpassing. Minderheden die zichzelf opsloten in hun cultuur, die weigerden zichzelf te engageren met de normen en waarden van het 'land van aankomst' – dat kon zo niet langer. Problemen moesten niet langer onder het vloerkleed van de politieke correctheid worden geveegd.

Voor er van werkelijke integratie sprake kon zijn, moesten minderheden eerst eens naar zichzelf leren kijken: eerwraak, vrouwenbesnijdenis, homohaat, inteelt, radicalisering, criminaliteit, taal- en leerachterstanden. En niet te vergeten die akelige schotelmentaliteit: hier leven, van daar dromen. Zoals in een integratienota van de stad Den Haag staat: wie hier wil zijn, moet meedoen.

Ferme taal, maar het roept een vraag op: wanneer hoor je erbij? Al dat 'benoemen' van vooral linkse spijtoptanten heeft ook iets naïefs: de verwachting dat wanneer alles benoemd is, sociale misstanden worden aangepakt, criminaliteitscijfers dalen, er geen culturele wrijving meer zal zijn. Opnieuw wordt de factor cultuur onderschat, maar nu aan de ontvangende kant.

Ik ken Soner Ceylan niet, maar op beeld zag de man eruit als een wonder van aanpassing. Zal Ceylan ooit een Vlaming kunnen worden, of beter nog 'een gezonde Vlaamse bink'? Het schandaal van *Blokken* zit 'm niet in het vermeende racisme van de presentator en ook niet in zijn tenenkrommende grapjes – het schandaal zit 'm in het feit dat Crabbé zich van geen kwaad bewust is.

In de 32 jaar sinds Ceylans geboorte hadden we eerst twintig jaar multiculturalisme, daarna twaalf jaar integratiedebat – en wanneer hij meedoet aan een suf Vlaams spelletje wordt hij benaderd alsof hij uit een asielzoekerscentrum ontsnapt is.

Je moet meedoen. Erbij horen? Eh?

Crabbé: 'Waarom heet hij niet gewoon Franske Vandevelde?'

•

Pijn

Het was zo pijnlijk dat het komisch was – bijna. Een groepje beroepsklagers dat zich Federatief Joods Nederland noemt, spande een kort geding aan tegen de gemeente Bronckhorst-Vorden, omdat die op 4 mei naast Engelse ook een tiental gesneuvelde Duitse soldaten wilde herdenken. Engelse veteranen hadden geen bezwaar, maar de rechter verbood de burgemeester langs de Duitse graven te lopen. Een andere organisatie, genaamd TOF (Tradition is Our Future), liet tijdens de herdenking een vliegtuigje met de slogan 'Vorden is fout' boven het dorp vliegen.

De maffe uitspraak van de rechter sterkte het FJN in de overtuiging dat het op de goede weg is: de organisatie kondigde aan alle herdenkingen waarbij ook Duitsers herdacht worden via de rechter te laten verbieden.

Het is nooit prettig wanneer zeloten uit jouw naam spreken – Ewoud Sanders schreef in *NRC Handelsblad* een krachtig stuk tegen splintergroepjes die hun moreel gelijk proberen af te dwingen door uit naam van alle Nederlandse joden te spreken. Raoul Heertje herhaalde wat hij eerder in een boek al had gemeld – Federatief Joods Nederland bestaat slechts uit de advocaat Loonstein en een paar familieleden.

Heertjes ergernis betreft de media, die zulke potsierlijke ballonnen van wat hij 'joodse oproerkraaiers' noemt niet lekprikken. Dat komt niet zozeer omdat journalisten lui zijn, zoals hij lijkt te denken, maar uit het angstvallige respect voor de pijn van de slachtoffers van de Holocaust. Dat is precies de schroom waar Federatief Joods Nederland misbruik van maakt, maar dan nog – waarom zou je er je vingers aan branden? Het is een onderwerp waar argumenten het altijd afleggen tegen emoties. Bovendien is de discussie seizoensgebonden – straks gaat het weer over *Zomergasten*, en daarna algauw weer over de vraag of Zwarte Piet racistisch is en vervolgens over de wenselijkheid van een vuurwerkverbod.

Volgend jaar beginnen we gewoon opnieuw.

De verbetenheid van Loonstein en zijn familie komt voort uit een emotie die ik wel kan begrijpen: de angst dat de samenleving haar schouders ophaalt voor de gruwelen uit het verleden, de angst voor het grote vergeten. Vandaar de weerzin tegen iedere vorm van verwatering – het herdenken van oorlogsdoden van ná de Tweede Wereldoorlog en – veel erger – het relativeren van goed en kwaad. De uitspraak van een van de betrokkenen bij de herdenking in Vorden dat de gesneuvelde Duitse jongens ook 'slachtoffers van omstandigheden' waren, is voor zulke mensen het bewijs van een gruwelijk moreel relativisme, waarbij in de woorden van het Simon Wiesenthal Centrum, dat zich ook tegen de kwestie-Vorden aan bemoeide, 'de essentiële scheidslijn tussen slachtoffers en bezetters' wordt uitgewist.

Ik begrijp die angst, maar je kunt er gemakkelijk een gevangene van worden. Wanneer je enkel nog de uniciteit van het eigen leed aan het bewaken bent, heb je geen oog meer voor leed van anderen. Het herdenken zelf wordt dan een fetisj – en krijgt de zelfgenoegzame trekjes die we de afgelopen week zagen.

Het misverstand is dat herdenken ook meteen vergeven zou inhouden. Het besef dat daders in laatste instantie ook menselijk zijn, betekent geen rechtvaardiging van hun daden. Door je gedachten te laten gaan over het lot van de gesneuvelde Duitse jongens in Vorden vergroot je je bewustzijn van wat er in die jaren heeft plaatsgevonden. Dat is nodig wanneer je met hun nazaten wilt samenleven – en ook als je iets van de geschiedenis wilt leren. Dat heet verwerken. Met relativeren of vergeven heeft het niets te maken.

Nederlanders zijn daar niet goed in. Tijdens de herdenking op de Dam dit jaar zag ik een groep kinderen bloemen neerleggen bij het Monument ter nagedachtenis van de doden. Dat was een mooi gezicht, maar ook pijnlijk: het gedicht van een leeftijdsgenoot van hen, waarin de moreel complexe werkelijkheid van de oorlogsjaren vanuit zijn gezichtspunt heel goed werd beschreven, was immers geweerd om overlevenden niet te kwetsen. Begrijpelijk wellicht. Maar wanneer je een herinnering wilt doorgeven aan een volgende generatie, moet je die ook echt aan hen durven overdragen.

Bonnetje

Corruptie – zeg niet dat het niet aantrekkelijk is. *NRC Handelsblad* berichtte over de Spaanse opperrechter Carlos Dívar, die onder vuur ligt om zijn opmerkelijke declaratiegedrag. De zeventigjarige magistraat heeft een verhouding met een van zijn zeven bodyguards, met wie hij weekenden in luxueuze hotels in Marbella doorbracht. De bonnetjes, net als die van de exclusieve restaurants waar hij met zijn entourage dineerde, werden gedeclareerd als 'werkoverleg'.

Het was al jaren aan de gang, maar in tijden van crisis begint zoiets op te vallen. Zo kleurrijk als de Spaanse opperrechter hebben wij ze niet, maar ook in Nederland is er vrijwel iedere dag wel een bericht over dienaren van het volk die vooral zichzelf bedienen, vooral in de half publieke, half private sector – absurde declaraties, eigenhandige salarisverhogingen, uitzinnige ontslagvergoedingen. Of gewoon fraude.

Twee directeuren van het Amsterdamse vervoerbedrijf moesten, na berichtgeving in *De Telegraaf*, het veld ruimen – behalve dat ze verdacht worden van gesjoemel, hadden ze zichzelf een salarisverhoging van ruim 50.000 euro gegeven.

In de zorg, zo bleek, verdienen nog steeds 41 bestuurders boven de balkenendenorm. En altijd volgt op zulk nieuws de mantra die het alleen maar erger maakt: het is nu eenmaal zo afgesproken, de raad van commissarissen is ermee akkoord gegaan.

Je zou wel eens willen lezen over een raad van commissarissen die ergens niet mee akkoord is gegaan.

Per geval wordt nu ontzetting geëtaleerd, maar diepere analyse blijft uit. Dagelijks worden nieuwe regels en gedragscodes voorgesteld, maar waar komt dat wangedrag vandaan? Wat maakt iemand tot een 'graaier'?

De belangrijkste oorzaak: er is gemeenschapsgeld, maar geen gemeenschap. Juist de bestuurders die dicht tegen de private sector aan zitten, zijn doordesemd van het marktdenken – in die zin zijn al die dure vertrekregelingen en extra's enkel een imitatie van de bonuscultuur bij de banken. Meedoen met de grote jongens, dat was de droom. Bestuurders gingen zichzelf als ondernemers gedragen. Risicovolle investeringen met overheidsgeld, eigengereid handelen, vriendjespolitiek, zelfverrijking; je bent naïef als je niet beseft dat het bij uitstek menselijk is. Nog naïever ben je als je niet beseft dat het de afgelopen decennia is aangemoedigd.

Kritiek op die mentaliteit is algauw afgunst. Ik geef toe, ik wil ook best op kosten van de gemeenschap met mijn bodyguard in Marbella dineren. Dat verdien ik namelijk.

PVV-Kamerlid Elissen kreeg deze week in het parlement de wind van voren toen hij zijn voorstel om voortaan alle declaraties van bestuurders openbaar te maken kracht bijzette door het declaratiegedrag van ambtenaren te hekelen. 'Declareren is een automatisme geworden,' had hij tegen de *Sp!ts* gezegd. Minister van Binnenlandse Zaken Liesbeth Spies verklaarde dat er heus wel eens wat misging, maar 'grosso modo gebeuren er geen al te gekke dingen'. Ook GroenLinks-Kamerlid Ineke van Gent ontkende: 'Het zijn geen feestende zakkenvullers die het breed laten hangen. Dat is een beeld waartegen ik me verzet.'

Dat beeld blijft nu wel hangen, Ineke.

Maar ze heeft een punt. Het openbaar maken van de declaraties van Nederlandse politici in 2012 onthulde vooral kleinzieligheid. Staatssecretaris Henk Bleker had wellicht een te dure hotelovernachting laten vergoeden, maar opzienbarend waren alleen de Xenos-kussentjes (36,09 euro) voor Blekers Haagse appartement en de gedeclareerde 'Rimboe-sauzen' van minister Jan Kees de Jager.

Maar de toon is gezet. In de Kamer zal het voorlopig gaan over de noodzaak van een open register van declaraties, een 'declaratiebijbel' voor ambtenaren enzovoort. Spies verklaarde trots dat ze het schelrode tapijt van haar voorgangster op het ministerie toch maar mooi niet had laten vervangen.

Het zal weer gaan over een probleem dat geen probleem is. Het echte probleem ligt niet bij de overheid, maar bij de semioverheid.

Een RTL-poll wees uit dat ruim 80 procent van de deelnemers vindt dat iedere declaratie van een gekozen bestuurder voortaan meteen openbaar gemaakt moet worden. Alsof het idee van een publieke zaak daarmee nieuw leven wordt ingeblazen. Het is transparantie, niet als uiting van vertrouwen, maar van wantrouwen.

Dikke kont

Het moest maar eens gezegd worden. Tijdens een bijeenkomst met de staatssecretaris van Sociale Zaken, hekelde ING-topman Nick Jue de mentaliteit van de mensen die hij eigenhandig ontslagen had. Nick: 'Ik ben een keer uitgescholden door een vrouw die – volgens haar door mij – haar baan verloor toen de postkantoren werden gesloten. Ik zei het natuurlijk niet, maar dacht toen wel: maar jij hebt wel elke avond met je dikke kont op de bank *Goede tijden, slechte tijden* zitten kijken, terwijl ik iedere avond nog aan het werk ging.'

De wereld kan zo simpel zijn.

Een paar jaar geleden nog moest de bank van Nick met gemeenschapsgeld overeind gehouden worden. Terwijl die vrouw op haar luie kont tv zat te kijken, waren de collega's van Nick namelijk energiek aan de slag gegaan op de Amerikaanse hypotheekmarkt. Inmiddels is een derde van het ING-personeel verdwenen.

Terwijl hij mensen aan het ontslaan was, schrok Nick van hun houding – die mensen waren helemaal nergens op voorbereid! Deze voormalige employés bleken, zo meldde Nick aan *De Telegraaf* 'na 34 jaar te hebben gedaan wat wij van ze vroegen totaal ongeschikt voor de arbeidsmarkt'.

Sindsdien laat ING personeel opleidingen volgen om aan hun toekomst te werken – jammer alleen dat de bank zelf nauwelijks mensen van boven de vijftig aanneemt. Heb je braaf aan je toekomst gewerkt, blijkt die toekomst helemaal niet te bestaan.

Let them eat cake. Het dedain van Nick Jue voor zijn eigen personeel (dikke kont, *GTST*) ademt in alles de overjarige managerscultuur zoals die door VVD-goeroe Ben Verwaayen in *Zomergasten* werd uitgedragen – je weet wel, succes is een keuze, inspiratie moet je delen, je verantwoordelijkheid nemen, leiderschap durven tonen. Mensen ontslaan, dat beseffen de mensen vaak niet, is verdomde zwaar – eigenlijk nog zwaarder dan ontslagen worden.

Het grappige – of het pijnlijke, maar laten we het luchtig houden –

is dat de mentaliteit van zo'n manager als Jue exact het spiegelbeeld is van de mentaliteit die door hem wordt aangeklaagd. De hele wereld afmeten aan je eigen belang, het gebrek aan empathie met de problemen van anderen, de schuld steevast van je afschuiven – het typeert de managerscultuur net zo goed als de klaagcultuur van de burger die voortdurend beschuldigend naar de overheid of het grootkapitaal wijst. Voor zowel Nick Jue als zijn werknemer met die dikke kont ligt de verantwoordelijkheid voor 100 procent bij de ander – de scheldende vrouw ziet zichzelf als louter slachtoffer van het nietsontziende neoliberalisme van topmannen als Jue, terwijl Jue met zijn lege managersmantra's de vrouw slechts ziet als een gevalletje luie afhankelijkheid.

Het is moeilijk kiezen tussen de twee – omdat het om twee kanten van dezelfde medaille gaat. Het hameren op de eigen verantwoordelijkheid betekent in het geval van Jue en de zijnen juist het afschuiven van persoonlijke verantwoordelijkheid. Niks over de bankencrisis, niks over gokken en gesjoemel, niks over staatssteun, geen reflectie, alleen die meelijwekkende zelfromantiek. 'Terwijl ik iedere avond nog aan het werk ging' – alsof dat het enige verschil is tussen hem en de ontslagen vrouw.

Er is storm op komst. Iedereen weet het, maar wij gaan de toekomst in met afgetrapte ideologische clichés, waarbij er één alle verantwoordelijkheid bij het individu legt en een ander alle verantwoordelijkheid bij de maatschappij. Neoliberalisme tegenover neosocialisme. Dat is geen maatschappijvisie, dat is zelfgenoegzaamheid. De eigenwaan van managers als Jue en de eeuwige verongelijktheid van de gewone man bij *Rondom 10*, het is allebei even onwerkelijk.

Wie dicht de kloof? Als er offers gevraagd worden, en niemand twijfelt eraan dat dat gaat gebeuren, dan zal je draagvlak moeten vinden. Dat is het allermoeilijkste, en zonder een gevoel van sociale saamhorigheid is het onmogelijk. Wanneer de verzorgingsstaat verder afbrokkelt, moet je juist niet alles op individuele verantwoordelijkheid gooien. Dan komt het erop aan het idee van een samenleving overeind te houden.

'Ik denk dat de mensen nu wel wakker zijn,' stelde Jue tevreden vast. Nu hijzelf nog.

•

Feest in het midden

Het goede nieuws was – ja, wat was het goede nieuws? Het midden was terug. Alexander Rinnooy Kan stelde het vast op de verkiezingsavond. *De Volkskrant* knalde het op de voorpagina. De illusiepolitiek van de flanken heeft afgedaan, de PVV en de SP hangen in de touwen, de kiezer is na tien jaar driftig dwalen teruggekeerd naar het veilige nest van de consensuspolitiek. Dat die terugkeer gepaard ging met de opgefoktheid van een avondje *The Voice of Holland*, dat er voor stabiliteit gekozen werd met alle bedachtzaamheid van een ADHD-patiënt – wat kan het schelen?

Dat de race tussen Rutte en Roemer – sorry: Samsom – niet zozeer ging om het steunen van de eigen kandidaat met zijn mooie ideeën, maar vooral in het teken stond van het tegenhouden van de ander – Die? Nooit! – maakt niet uit.

Het land is weer regeerbaar. De gijzeling van het gedogen van de PVV is voorbij.

De dag na de verkiezingen zag ik Rutger in *PowNews* op het Binnenhof rondlopen. De aangesproken politici hadden geen angst meer in hun ogen. Ze gingen welwillend in zijn tamme grapjes mee. Deze leeuw kon je rustig aaien, hij had toch geen tanden meer. Het leek wel Omroep Max.

Het beest is getemd. Want met het politieke midden is ook het politieke establishment weer terug. Wilders zit hopeloos gevangen in zijn centrifuge van hype en hyperbool – wanneer hij hetzelfde doet, blijft hij verliezen. Doet hij iets anders, dan is hij Wilders niet meer.

De SP. Tijdens de verkiezingsstrijd werd hun stilstand verweten – en stilstaan was wat die partij deed. Politiek in Nederland is de kunst om water in de wijn te doen zonder dat de kiezer het te veel opvalt, en voor partijen die systeemkritiek bedrijven is dat eigenlijk onmogelijk. De teneur tijdens de huidige crisis is niet dat de wereld onrechtvaardig is en dus helemaal anders moet – de teneur is dat we moeten redden wat er te redden valt.

Ik wil het feest niet bederven, maar ongemakkelijk voelt de opluchting wel. Dit politieke midden is echt een heel ander midden dan voorheen. Het dankt zijn bestaan eerder aan polarisatie dan verwantschap. Paars nu zou in niets lijken op Paars toen – toen het geld ons de oren uit kwam, toen de politiek het dacht zonder ideologie af te kunnen, toen de wereld zich liet verklaren door de cijfers achter de komma.

De opstandige flanken zijn niet verslagen. Ze zijn juist diep tot het politieke midden doorgedrongen.

De afgelopen tien jaar heeft zowel links als rechts zijn schaduwpartij zien ontstaan – de VVD baarde de PVV, de PvdA de SP. Om de kiezer op de flanken terug te halen naar het midden zijn juist in het midden de ideologische tegenstellingen verscherpt. In de verkiezingsstrijd ging het wel degelijk tussen links en rechts – Mark Rutte verklaarde dat hij de politiek was in gegaan omdat hij als kind al droomde van een zo klein mogelijke overheid. Hier botsen twee visies, op de overheid, op de verhouding burger en maatschappij, op het bestrijden van de crisis. En juist de opzichtige punten die in de verkiezingsstrijd werden ingezet om de kiezer te paaien – hypotheekaftrek, ontwikkelingshulp – leiden tot gezichtsverlies wanneer die worden opgegeven. Waardoor de flanken weer zullen groeien – enzovoort.

Zo bezien maakt die nieuwe bestendigheid een behoorlijk vluchtige indruk.

Er lopen hier twee dingen door elkaar. Aan de ene kant heb je tien jaar populistische politiek die zich nu lijkt te bestendigen in links en rechts met de daarbij horende geloofsartikelen. Die stromingen vind je vrijwel overal. Aan de andere kant heb je onze nationale vermoeidheid met de strompelende kabinetten, het kwaadaardige cabaret der opstandigen, het slepende onvermogen om de wereld met frisse moed tegemoet te treden. Handen uit mouwen, graag.

Maar je kunt niet eerst de tegenstellingen aanscherpen en dan doen alsof ze niet bestaan. Dat is cynisch – dan zouden we na de *fact-free politics* nu ook *politics-free politics* hebben. Wie verwacht dat in Engeland de Conservatives en Labour samen gaan regeren?

De afloop laat zich raden.

•

Skybox

Kort door de bocht, gebrek aan nuance, niet zorgvuldig – de taal waarmee de Twentse onderwijsinstelling Consent zich op haar website teweerstelt tegen beschuldigingen van geldsmijterij klinkt beheerst – maar daaronder kolkt de woede. De koepelorganisatie van meer dan dertig scholen werd, 'op een zondagmiddag' nog wel, overvallen door kritiek: terwijl de organisatie bezuinigt op het onderwijs, de klassen groter maakt, wordt voor 45.000 euro per jaar een skybox in het stadion van FC Twente gehuurd. De PvdA was daar achter gekomen toen de directeur in een mail leerkrachten had opgeroepen tot vrijwilligerswerk: de skybox schoonmaken, en gasten van drankjes en hapjes voorzien.

O ja, tegelijkertijd was er het nieuws dat Peter van Leeuwen, een voormalige bestuursvoorzitter van Consent, tot aan zijn pensioen krijgt doorbetaald. Daar is vierenhalve ton voor gereserveerd. Van Leeuwen werkt inmiddels als zelfstandige, maar ook dit bedrag is, zo meldt de raad van toezicht van Consent, in de media gepresenteerd 'zonder nuance'.

Bovendien had men het niet verborgen gehouden: 'Het feit dat wij deze gegevens zo uitgebreid publiceren is overigens geen plicht.' Dat we het weten.

Wanneer volkswoede door politiek en pers wordt georganiseerd – in dit geval de PvdA en *De Telegraaf* – is het uitkijken geblazen. De PvdA heeft ons het begrip PvdA-bobo gegeven, met de associatie poen en pluche, dus die hebben op het gebied van verontwaardiging nog iets in te halen. En *De Telegraaf* – juist daarom heb ik de verklaringen van Consent op de website met extra aandacht gelezen.

Leerzame materie.

Aan *De Telegraaf* had Consent-bestuurder Marcel Poppink al laten weten dat hij het woord skybox liever niet gebruikt: 'Dat heeft een negatieve associatie.' Het gaat eigenlijk om een plein. Consent is 'partner' in het 'Maatschappelijk Plein Twente', waaraan nog twintig andere 'maatschappelijke partners' deelnemen. Er wordt echt niet alleen naar voetbal gekeken. Nou ja, wanneer dat wel gebeurt, dan heus niet alleen door directieleden maar, vermeldt de verklaring, ook door 'leerlingen, winnaars van prijsvragen, en docenten'. Het doel van dit maatschappelijk plein, ook wel TwenteKwartier geheten, is 'het komen tot concrete samenwerking, elkaar versterken en het nemen van maatschappelijke verantwoordelijkheid'.

Wat volgt is onnavolgbaar: 'Kwaliteit van onderwijs staat altijd voorop en het daarbij geven van een goed maatschappelijk perspectief is essentieel. Juist door deelname aan het TwenteKwartier nemen deze kansen toe, kunnen we bijvoorbeeld onderwijsprogramma's ontwikkelen en leerlingen laten zien dat presteren loont.'

Vrij vertaald: als je een mooi cijfer haalt, mag je misschien wel bij een wedstrijd van FC Twente in de skybox zitten. Niet vanwege het voetbal, maar vanwege je maatschappelijke verantwoordelijkheid. Ondertussen schenk je je docent op basis van vrijwilligheid een drankje in.

Kort door de bocht, gebrek aan nuance? Alle verklaringen in deze kwestie staan bol van dezelfde *newspeak*, kromme zinnen vol nietszeggend idealisme, opgedaan tijdens de jaarlijkse inspiratiedag, gespuid door mannen gevangen in een droom van provinciale glamour. Eigenlijk wil je het liefst met je relaties bij het voetbal in de skybox zitten, maar je gevoel van maatschappelijke verantwoordelijkheid dwingt je dat aan te kleden met woorden van algemeen belang. Het gaat niet om FC Twente, het gaat om de samenleving als geheel.

Dave Blank, professor in de nanotechnologie en voorzitter van het TwenteKwartier: 'Het TwenteKwartier geeft maatschappelijke partners een unieke gelegenheid om met elkaar meer te realiseren.'

Sorry? Uniek is die skybox zeker, maar wat wordt er nu precies gerealiseerd? Wees eens concreet, Dave. 'Het is een investering in elkaar en in de Twentse samenleving.' Het Maatschappelijk Plein is een 'een inspirerende plek waar ambitie en trots ontstaan'.

Investering en inspiratie, met afstand de twee meest uitgeholde woorden uit onze taal. Gevolgd door 'kansen bieden'.

Managersjargon, met een vleugje TEDx.

Dit geval staat niet op zich. Uit alles blijkt dat men zich in Twente van geen kwaad bewust is. Deelname aan het Maatschappelijk Plein is door alle betrokkenen goedgekeurd. Ook de vertrekbonus van voorzitter Van Leeuwen werd door de raad van toezicht geaccepteerd. Het gaat dan ook niet om een ontsporing. Het gaat om een mentaliteit.

•

Misdaad en straf

Beschaving – wat is dat ook alweer? Ik zou zeggen: onze gezamenlijke inspanning om de mens beter te laten zijn dan hij van nature is. Niet gemakkelijk. Het houdt in dat wanneer iemand 's nachts je huis binnensluipt – ik geef maar een voorbeeld – je hem, alle begrip, 't liefst dood zou willen slaan, maar dat dan toch niet doet. Wanneer je het wel doet, uit woede of paniek, is dat een vreselijke nederlaag. Geen triomf. Eens?

Fred Teeven, staatssecretaris van Justitie en Veiligheid, ziet dat anders. Hij vindt het 'treurig' dat een inbreker in het Brabantse Diessen tijdens een nachtelijke strooptocht het leven heeft gelaten, maar noemt het een risico van het vak. Mensen hebben het recht lijf en goed te verdedigen. Natuurlijk, er moet worden uitgezocht wat er gebeurd is, maar goed dat de mensen die gedood hebben, meteen weer vrijgelaten zijn. 'Zij zijn slachtoffers.'

Nou nee. Ze zijn slachtoffers, maar ook daders, want ze hebben iets gedaan wat niet mag. Dat is juist het probleem. Je moet met je poten van andermans spullen afblijven; je mag geen mens doden. Wat betekent dat dooie woord proportioneel? Dat je geweld mag gebruiken om jezelf te verdedigen, maar niet om wraak te nemen. Dat die grens, de grens tussen beschaving en barbaarsheid, niet gemakkelijk te trekken is, weten we – daar hebben we de rechterlijke macht voor.

Maar dan moet je die rechterlijke macht wel vertrouwen.

Dat doet Fred Teeven niet. Hij spreekt niet de taal van het recht, maar haakt bewust in op een sterke emotie: dat er te veel begrip is voor daders van een misdrijf. Dat slachtoffers schuldig worden verklaard wanneer ze voor zichzelf opkomen.

Begrip voor daders is ooit begonnen als een teken van beschaving. Vroeger was een misdaad een uiting van het kwaad – geen pardon. Alleen de dader had schuld. De beschaving leerde ons dat mensen zelden zomaar iets doen. Ze zijn gevormd door hun omgeving, sociale omstandigheden spelen een rol, er is wellicht vroeger thuis of anders in hun hoofd iets misgegaan.

Kritiek op overmatig begrip voor de misdadiger is ouder dan je denkt: Dostojevski nam het anderhalve eeuw geleden al op de korrel in *Misdaad en straf*. Socialisten, zegt een van de personages, zien de misdaad als 'een protest tegen de abnormaliteit van de sociale structuur, dat is het en verder niets'. Alleen de samenleving heeft schuld. Is de maatschappij eenmaal rechtvaardig, dan verdwijnt de misdaad vanzelf – je moet dus vooral sociale omstandigheden verbeteren. Van nature is de mens niet slecht. *Echt niet.*

Sindsdien is het begrip voor de misdadiger – Freud kwam erbij – alleen maar toegenomen. Nu hebben we te maken met de reactie: mensen zijn toch zeker enkel zelf verantwoordelijk voor hun daden? Een beroep op maatschappelijke omstandigheden is een softe smoes, bedoeld om hedendaagse *do gooders* een rad voor ogen te draaien. We zijn zo beschaafd geworden, heet het, dat we ons verliezen in pervers begrip voor de dader.

De ironie wil dat Teeven nu hetzelfde doet.

Hij heeft zo veel begrip voor de omstandigheden van de doodslag in Diessen, dat hij geneigd is de daders op voorhand iedere verantwoordelijkheid voor hun daad te ontzeggen: 'Zij zijn slachtoffer.' Linkse softies zijn geneigd om het slachtoffer in de dader te zien (onrecht, armoede, misbruik, ongelukkige jeugd). Maar nieuwrechtse hardliners beroepen zich eveneens blind op omstandigheden. Want dat is de ondertoon van de zaak-Diessen: zelfs als er geen sprake was van louter zelfverdediging, hoeven we geen medelijden te hebben met het slachtoffer, die ook dood dader blijft. En alle begrip voor de daders in Diessen, die zuiver slachtoffer zijn.

Niet schuldig.

De ene vorm van relativisme wordt vervangen door de andere. Beide kampen verwijten elkaar een schandelijk gebrek aan empathie.

Fred Teeven is niet eerlijk. Waar de staatssecretaris van Justitie eigenlijk voor pleit, is niet een rechtvaardige behandeling van gewelddadige slachtoffers. Waar hij voor pleit – laten we het beestje bij de naam noemen – is het recht op wraak.

De media zijn mediageil

Zelf had ik liever voormalig VVD-gedeputeerde Ton Hooijmaijers bij Twan Huys in zijn *College Tour* gezien dan Willem Holleeder. Ik weet het, hij is veel minder bekend, veel minder bühne, veel minder boef – maar in zijn bederf heeft deze gewezen provinciaal bestuurder onze studenten veel meer te leren over onze samenleving dan die eeuwig getapte Amsterdamse psycho. Deze Hooijmaijers wordt vervolgd wegens omkoping, valsheid in geschrifte en witwassen. Zijn dossier leest als een snelcursus corruptie – schimmige vastgoeddeals, ongrijpbare juridische constructies, een adviesbureau waarvan zijn vrouw directeur en enige aandeelhouder is en een reusachtige berg hopeloos verstrengelde belangen. En dan zijn er nog die tientallen miljoenen euro's aan verspeeld gemeenschapsgeld bij Landsbanki. En de bestedingen met zijn provinciale creditcard die niet verantwoord konden worden.

Maar ja, te weinig glamour, te weinig aantrekkelijk, te weinig romantisch ook. Alles in de zaak-Hooijmaijers ademt een verrotte bestuurscultuur – zoals die zich ook liet zien in het Vestia-schandaal en in nog zo veel andere zaken. Op televisie zien we er weinig van; misschien een kort item in *Nieuwsuur*, of een aflevering van *Tegenlicht*.

In plaats daarvan krijgen we nu de afgelikte misdaadfolklore van Willem Holleeder als college. In de categorie slechte mensen geldt hij als de absolute top.

De discussie in de media ging vooral over de vraag of het ethisch is een veroordeelde crimineel in een semi-educatief programma neer te zetten, waarin eerder Desmond Tutu en Madeleine Albright te zien waren. Ik vraag me eerder af hoe zinvol het is. Ik ben altijd bereid om te leren, maar wat heeft Willem Holleeder ons te zeggen? Twan Huys verdedigde de keuze van zijn gastdocent: 'Willem Holleeder [heeft] in bijna 30 jaar tijd de Nederlandse misdaadscene vaak vertegenwoordigd op de voorpagina's van de Nederlandse kranten.'

Interessant – Holleeder is nieuws omdat hij zo lang nieuws is geweest. Dat lijkt verdacht veel op het zelfrijzend bakmeel van de Nederlandse televisie. Wat niet zoveel voorstelt, lijkt algauw heel wat, zolang je het maar elke avond laat zien.

We zagen dat dit jaar bij politici als Henk Bleker, Hero Brinkman en Tofik Dibi, die niet van het scherm waren af te slaan. Wat niet wilde zeggen dat ze ook populair waren – dat bleek wel toen ze bij de verkiezingen ieder maar een paar duizend stemmen kregen. Toen die jammerlijke cijfers bekend werden, mochten ze nog één keer komen opdraven. Bij die gelegenheid werd hun te verstaan gegeven dat ze wel erg mediageil geweest waren.

De media zijn mediageil. Dat is het probleem.

Het is de Nederlandse televisie die veranderd is in een spiegelpaleis, waarin dezelfde gezichten zichzelf verliefd blijven aanstaren tot in de oneindigheid.

Twan Huys ontkent stellig dat het optreden van Holleeder een verheerlijking van deze crimineel inhoudt. Ik raad hem aan zijn uitzending met 'topadvocaat' Bram Moszkowicz, de voormalige advocaat van Holleeder, terug te kijken. Een schoolvoorbeeld van televisiegemeenzaamheid: quasischerpe vragen over kwestietjes die mediarumoer veroorzaakten. Nergens echt kritisch, zodat het mediabeeld dat Moszkowicz van zichzelf etaleert volledig intact kon blijven. En helemaal niets over de kwesties die inmiddels aan het licht zijn gekomen, over de koffers met contant geld, het gerommel met de fiscus, de betwistbare status van 'topadvocaat'. Huys: 'Voor velen hier bent u een meester.'

Geen wonder dat Moszkowicz, die nu van alle kanten onder vuur ligt, terugslaat via de media en niet via de rechtbank – het is zijn natuurlijke terrein geworden, waar hij beschermd wordt door een dikke laag celebrity en collega's die hem nooit echt het vuur na aan de schenen zullen leggen. Alle quatsch die hij te berde bracht – hij is de Lionel Messi van de advocatuur, de deken Kempers is van F.C. Knudde, hij wil niet over contante betalingen praten wegens het beroepsgeheim, hij heeft niet gestudeerd op nieuwe ontwikkelingen in zijn vak omdat hij een ziek familielid moest bezoeken – wordt in de praatcultuur van de Nederlandse televisie onweersproken gelaten.

Op de Nederlandse televisie wordt de hele dag over alles gemoraliseerd. Behalve over de eigen moraal.

II

Zo doen we dat

•

Het verdriet van Nederland

Is het Limburg? Is het de VVD? Is het de regio? Is het Nederland? Of is het gewoon heel erg menselijk? De schandalen en schandaaltjes in het lokaal bestuur die als vallende dominostenen door de media razen, veroorzaakten vooral verbazing: waar kwam dit opeens vandaan?

Roermond, Den Helder, Heumen, Lingewaard, Lansingerland – alsof we met de grote wereld niet genoeg te stellen hebben. Zijn we eindelijk klaar om de Europese uitdagingen het hoofd te bieden, implodeert de boel achter onze rug.

Ineens werd het verdriet van Nederland zichtbaar, leek het – belangenverstrengeling, of de schijn ervan, vriendjespolitiek, valsheid in geschrifte, te hoge declaraties, valse declaraties. En dat alles binnen die vertrouwde, oer-Hollandse sfeer van leut en laster, valse beschuldigingen, intimidatie en bedreiging.

Op het nieuws ineens niet meer de lachende, fris gestileerde hoofden van onze landelijke politici, maar de hangende gezichten van lokale grootheden, die getergd van zich afbeten of deemoedig door het stof gingen. De snor – landelijk geldt die als een teken van een verkeerd soort getapt provincialisme, lokaal, weten we nu, is het een bewijs van gewortelde authenticiteit. En dan is er nog wat ik de ambitie van de bril zou willen noemen. Je kunt er blind op varen: des te moderner het montuur op zo'n alledaags hoofd, des te grandiozer de bestuurlijke dromen.

En geen van die gevallen blijkt een incident. De burgemeester is al eerder betrapt op fout declareren, de integriteit van de wethouder is onlangs nog onderzocht. Het mooiste voorbeeld van het cyclische karakter van deze ontsporingen is de zaak-Jos van Rey, VVD-senator en geliefd wethouder te Roermond. Deze maakte naam door zijn strijd tegen de corrupte ons-kent-onscultuur van het Limburgse CDA en slaagde erin, gedreven door tomeloze werkdrift en ambitie, die binnen een paar jaar te vervangen door een corrupte ons-kent-onscultuur van de Limburgse VVD. Al moeten we natuurlijk niet oordelen voordat de rechter gesproken heeft.

In *Nieuwsuur* vroeg Twan Huys vertwijfeld aan een man van BING, het bureau dat de integriteit van bestuurders onderzoekt, waar al dat miezerige gesjoemel vandaan kwam. Huys, die zich de afgelopen weken enthousiast heeft verdiept in het grote werk (Willem Holleeder: 'dat geld is verbrand op het strand'), kon niet begrijpen wat de lol was van een onterecht gedeclareerd etentje – wie ging voor zoiets zijn carrière op het spel zetten? De man van BING bleef het antwoord schuldig.

De afgetreden burgemeester van Lingewaard, Harry de Vries (CDA), wist het zelf ook niet. Ja, hij zat fout. Maar: 'Ik heb mezelf niet willen verrijken. Niemand zet zijn baan op het spel voor een paar honderd euro.'

Onthullend. Want dat is natuurlijk precies wat hij wel gedaan heeft. Hoe moeten we dat zien? Is de burgemeester te vergelijken met een kleptomaan – een welgestelde vrouw die bij de Hema goedkoop ondergoed onder haar bontjas stopt, gewoon omdat het kan? De Vries was in Gelderland ooit plaatsvervangend commissaris van de koningin, maar nu was hij weer gewoon burgemeester van Lingewaard. Regels en rapporten, vergaderen en voorzitten, toespreken en toehoren, in die bestuurlijke woestijn geeft een gemanipuleerde declaratie al een enorme kick, een gevoel van gevaarlijk leven.

Lokaal besturen is vaak gruwelijk saai – de meesten willen dan ook eigenlijk meer, hoger en heftiger. En als het niet voor de stad of gemeente is, dan maar voor zichzelf. Vervelend dat al die regels in de weg zitten – of anders die eeuwig mekkerende raadsleden. Op een gegeven moment verlies je je geduld.

In al die rapporten en aanklachten valt steeds hetzelfde woord: zonnekoning. Hautain, onbereikbaar, bot tegenover ondergeschikten – en naar buiten toe de schrale grandeur van dure auto's, dure etentjes en af en toe, nu we toch onder vrienden zijn, een dure hoer. Men wil machtig zijn in een gebureaucratiseerde omgeving die dat helemaal niet toestaat. Dat wringt. Dus krijg je zonnekoningen in vergaderzalen met neonlicht, slechte koffie en ecomokken.

In het geval van zo'n Van Rey komt daar nog een vereenzelviging met de stad van herkomst bij. In het begin deed hij het voor Roermond. Uiteindelijk was hij Roermond.

Roermond.

•

Dom doen

Mijn mond valt niet vaak open – wel toen ik zag hoe het NOS *Journaal* anderhalve week geleden de zaak-Petraeus bracht. De Amerikaanse generaal had een geheime affaire met zijn biografe; het *Journaal* bracht nauwelijks feiten, maar mengde beelden van de gevallen CIA-baas met beelden uit *Skyfall*, de nieuwste James Bond.

CIA = spion + mooie vrouw = James Bond.

Dat is het nieuwe nieuwsmaken: feiten reduceren tot gevoel. Omdat de ongeïnformeerde kijker thuis voor de buis bij het horen van 'CIA' en 'minnares' vast aan spionage denkt, is de keuze snel gemaakt. Je hoeft er alleen nog maar een montere voice-over aan toe te voegen die deze onbenullige associatie uitlegt aan de kijker op een toon alsof hij een zwakbegaafde toespreekt en je hebt de journalistiek de eenentwintigste eeuw binnengeloodst.

Zou er in een van de ons omringende landen een televisiejournaal zijn dat met zo'n Petraeus/Bond-item durft aan te komen? Is er ergens een journaal te vinden waarbij de achterliggende gedachte is: de kijker weet niets en het is onze taak dat we 'm daarin zoveel mogelijk tegemoetkomen, anders denkt hij nog dat we ons beter voelen dan hij?

'Er is nog altijd een grote groep mensen die denkt dat kranten en het *Journaal* allemaal bij het establishment horen. Er zit nog steeds een verzet tegen dat soort dingen in de samenleving.' Aldus Hans Laroes, de gewezen hoofdredacteur van het *Journaal*, in een interview op Nu.nl. Vreemd interview. Aan de ene kant zit Laroes nog gevangen in zijn Fortuyn-trauma: de opstand van de boze burger leerde hem dat de journalistiek 'verhalen had laten liggen'. De dreiging is afgenomen, maar zeker niet verdwenen.

Tegelijk beklaagt Laroes zich over de excessen die zijn eigen angstvalligheid heeft veroorzaakt: 'Veel journalisten waren zó bang dat ze nog een keer iets Fortuyn-achtigs zouden missen, dat Wilders een soort rode loper kreeg. In plaats van dat iemand eens "ja maar" zei.' Ook over de manier waarop het *Journaal* de plundering van Haren heeft aangemoedigd is Laroes niet te spreken. 'In de min of meer opgefokte samenleving die Nederland nu is [...] gaat het wel degelijk een rol spelen als je ieder uur zegt: er is hier nog niks aan de hand.'

Met hoofdredacteuren van het *Journaal* is het kennelijk als met politieke kopstukken – pas als ze geen rol van betekenis meer spelen, worden ze zelfkritisch. Maar de fenomenen waarover Laroes zich beklaagt – het journalistieke gelik naar Wilders en het aanjagen van de hel van Haren – zijn het directe gevolg van zijn eigen keuze voor de belevingsjournalistiek boven de feitenjournalistiek.

De strijd tussen die twee opvattingen woedt overal in de journalistiek. Wanneer de kenniskloof tussen burgers en de wereld waarin ze leven almaar groter wordt, kun je twee dingen doen: ze zo veel mogelijk feiten geven of de feiten aanpassen aan hun belevingswereld. Omdat je denkt dat ze dom zijn, kun je maar het beste doen alsof je zelf nog dommer bent. Het scheelt ook een hoop werk.

Die houding heeft gevolgen. Wanneer je nieuws niet langer probeert te duiden, zin van onzin probeert te scheiden, dan is al snel alles waar. Peter R. de Vries beklaagde zich deze week over de complotdenkers in de zaak-Vaatstra die zelfs in DNA-bewijs een slinkse manoeuvre van de overheid zagen. Wanneer het nationale dwaallicht Leon de Winter voor de camera als deskundige zijn licht mag laten schijnen over het Midden-Oosten, geef je publiekelijk aan dat iedereen overal alles van af weet.

Dat is de ironie – de 'rechtse' kritiek op het 'linkse' journalistieke establishment dat men niet objectief was en 'verhalen liet liggen' bleek helemaal geen oproep tot meer objectiviteit, maar de eis dat iedereen recht heeft op zijn eigen waarheid, ook al slaat het nergens op.

James Bond.

Die golf is volgens mij over zijn hoogtepunt heen – maar niet bij de mannen van een zekere leeftijd (de mijne) die zich blind staren op een revolte die achter ons ligt. Dat de waarheid niet bestaat, weten we nu wel. Dat objectiviteit een illusie is – ja ja. Maar het grote zwelgen in subjectiviteit gaat voorbij. Geef ons deskundigheid, geef ons feiten.

Applaus

De reacties op het rapport van de commissie-Levelt over de spectaculaire fraude van Diederik Stapel – ik vat ze even samen.

Eén: Stapel is een narcistische eenling die de loopbaan van zijn collega's ernstige schade heeft toegebracht – nee, die collega's zijn bewust ziende blind geweest, zo graag wilden ze in het licht van hun academische zonnekoning staan.

Twee: met zijn wetenschapsfraude heeft Stapel de discipline van de sociale psychologie in diskrediet gebracht (minister Bussemaker: 'Dit is echt een exceptioneel geval') – welnee, de hele sociale psychologie heeft zich schuldig gemaakt aan wat de commissie 'slodderwetenschap' noemt.

En drie: door gegevens te verzinnen heeft Stapel talloze onderzoeken kapotgemaakt – kom nou, die onderzoeken zélf waren onzinnig, een mengeling van quasimaatschappelijke relevantie (agressie! racisme! seksisme!) en de onuitroeibare neiging van de sociale wetenschappen om op een omslachtige manier naar de bekende weg te vragen.

De vraag is dus een oude vraag die altijd gesteld wordt na de ontmaskering van een spectaculaire bedrieger: ligt de schuld bij de dader of draagt zijn omgeving misschien nog wel meer schuld? Heeft Lance Armstrong de wielerwereld gecorrumpeerd of is hij het product van een corrupte sport? Kon Dirk Scheringa zijn financiële kaartenhuis overeind houden door pathologisch mooi weer spelen of wilde het publiek zo graag in hem geloven?

Allebei. Een goede oplichter kent de zwakheden van zijn slachtoffers. Hij is de spiegel van hun verlangens.

Stapel is een grote jongen, hoor je nu steeds, hij staat op zeven in de top tien van grootste wetenschapsfraudeurs aller tijden. Ik heb die lijst bekeken. Vrijwel alle fraudeurs vallen onder de noemer 'biomedisch' – er zit verder alleen nog een natuurkundige bij. Waar andere grote fraudeurs gegevens vervalsten in onderzoeken naar vraagstukken van leven en dood, daar begaf de Nederlander Stapel zich op het gebied van het piepkleine maatschappelijke inzicht. Geen verzonnen data over nieuwe middelen om kanker te bestrijden, geen gemanipuleerd inzicht in de oorzaken van alzheimer – maar sociologische kletskoek in het genre 'raar maar waar', waarmee je kunt aanschuiven in een van die niksige middagprogramma's op televisie. De 'onderzoeken' van Stapel moesten het hebben van een verrassingseffect waarover het goed praten was bij de koffieautomaat: wist je dat rood vlees eten je agressief maakt? Wist je dat eenzame mensen het meest racistisch zijn? Net verrassend genoeg om een onderwerp van gesprek te zijn, niet zwaar genoeg om verder over na te denken.

Stapel werd al niet serieus genomen toen we hem nog serieus namen. Wetenschap als lifestyle.

De nieuwe kleren van de keizer: zelfs in het geval van Stapel was er een kinderstem die riep dat deze wetenschapper in zijn blote kont stond. Een zeventienjarige scholiere rekende twee jaar geleden in *de Volkskrant* af met een onderzoek van Stapel, dat had uitgewezen dat 'meisjes die naar sexy vrouwen kijken, slechter presteren in wiskunde omdat ze het geportretteerde vrouwbeeld automatisch overnemen: ze gaan zich sexyer, afhankelijker, zorgzamer, maar niet slimmer gedragen'. Geen effect.

Een vroege lezer van Stapels autobiografie citeert op vk.nl nog een onderzoek: proefpersonen die op een koffiebeker het woord 'kapitalisme' hebben gezien, gaan zich meer te buiten aan M&M's dan proefpersonen die de boodschap niet hebben gezien.

Alleen in zijn auto at Stapel alle M&M's zelf op.

Hier werd niet alleen gefraudeerd in de wetenschap, hier was wetenschap zelf een vorm van fraude geworden.

Dat de reputatie van Stapel zo groot kon worden, komt doordat hij de samenleving op twee verleidelijke manieren tegemoetkwam: door weldenkenden voortdurend in hun hang naar politieke correctheid te bevestigen met 'onderzoek', en door de wetenschap hapklaar te maken voor het mediatijdperk, waardoor academia weer maatschappelijke relevantie kon claimen.

Stapel: 'Applaus is een blijk van erkenning. Het betekent dat je de moeite waard bent.'

Collega's van Stapel beloven nu beterschap, maar de betekenis van zijn val lijkt hun grotendeels te ontgaan. Hier is een hele klasse onderuitgegaan. De oplichter Stapel was het product van de tijdgeest; zoals de financiële sector de afgelopen jaren draaide op verzonnen geld, zo draaide een universitaire tak op verzonnen wetenschap. Een academische Bernie Madoff. Nu de ballon geknald is, moet er niet alleen opgelapt en bijgesteld worden. Er moeten harde vragen gesteld worden over de verhouding tussen wetenschap en samenleving. Ik ben ze niet tegengekomen.

Waanzin

Wie heeft het echt gedaan? Terwijl Nederland collectieve verbijstering probeert uit te stralen over het doodschoppen van de grensrechter van de Buitenboys – rouwbanden, stille tocht, oproep tot respect, alle wedstrijden afgelast – zoemt achter de stille gedragenheid de schuldvraag rond. Zo veel afzichtelijk geweld komt niet zomaar uit de lucht vallen. Is het het verziekte amateurvoetbal? Zijn het de partijdige scheidsrechters? Is het de straatcultuur? Zijn het de Marokkanen?

Het is niet chic om woede voorrang te geven boven ontzetting, niet chic om met vingerwijzen te beginnen terwijl de tranen voor de dode nog stromen, maar aangezien anderen al zijn begonnen, kun je misschien maar beter snel even jouw steentje in de vijver gooien.

De Telegraaf probeerde allebei tegelijk. Er prijkte een grote foto van het incident op de voorpagina. Boven zo'n foto verwacht je op z'n minst: TUIG. De redactie had toch maar voor het keurig onthechte WAANZIN gekozen.

Waanzin – eigenlijk maakt het geen bal uit of we na zo'n gebeurtenis onze toevlucht zoeken in rituelen van onmacht of ons te buiten gaan aan de zoveelste groteske uitbarsting van duiding en commentaar. De onderliggende zorg is immers hetzelfde: wat is er mis met ons? Waarom is onze maatschappij geen samenleving meer?

Peter R. de Vries twittert over het teveel aan partijdigheid in het amateurvoetbal, een academische Marokkanen-duider weidt uit over 'de moeizame integratie van een etnische minderheid met een machocultuur', voetbalvaders getuigen van de idiote agressie die ze wekelijks fluitend op het veld moeten doorstaan, columnisten klagen afwisselend over te veel begrip voor de daders en over juist te weinig begrip van de daders. De vingers wijzen alle kanten op, de onderliggende boodschap is hetzelfde: dit incident is slechts de druppel. Het is allang niet leuk meer.

Je kunt dat nuchter bekijken, dan kom je vanzelf bij de relativering terecht. Het is gruwelijk wat er is gebeurd – maar het enige wat dat over de samenleving zegt is dat er gruwelijke dingen in een samenleving gebeuren. Dat was in 1812 niet anders. En in 1912 ook al niet.

Maar relativeren is iets anders dan je schouders ophalen. Wat er op het voetbalveld in Almere is gebeurd, is een incident – er zal niet snel weer zoiets gebeuren. Maar incidenten hebben een context.

Het was opvallend om Bernard Fransen, voorzitter van het amateurvoetbal, de afgelopen week publiekelijk met zijn handen in het haar te zien zitten: ze hadden de afgelopen jaren zo hun best gedaan, er was zo veel onderzoek geweest, er waren zo veel maatregelen genomen. En net toen ze dachten dat het beter ging: dit. We kunnen het niet alleen, verklaarde hij, dit gaat iedereen aan. Wat er gedaan zou moeten worden zei hij niet – omdat hij het zelf ook niet wist.

Het kalf was verdronken. Nog erger: geen idee hoe we nu de put gaan dempen.

Die openbare vertwijfeling van de voetbalbestuurder – alles geprobeerd, nauwelijks verbetering – vond ik, gek genoeg, hoopvol. Het laat het begin van een kentering zien. Lang ging het om het falen van autoriteit. Bestuurders en overheid waren te laks, niet streng genoeg, te weinig efficiënt ook. Iedereen wist wat er gebeuren moest. Handhaven, aanpakken, afrekenen!

Nu wordt steeds vaker de bal teruggespeeld: meer regels helpen niet wanneer moreel besef bij burgers ontbreekt. Dat je iets verkeerds doet, tja. Het wordt pas erg wanneer je helemaal niet het gevoel hebt dat je iets verkeerds doet. Of het nu over de rellen in Haren gaat, over de verdorven graaicultuur bij woningcorporaties en onderwijsinstellingen, of over agressie in het amateurvoetbal – het heeft weinig zin om de daders schuldig te verklaren wanneer bij henzelf ieder besef van schuld ontbreekt. Het gettonarcisme van de straat, de eigendunk van 'topmannen' (voormalig topman Amarantis over het vernietigende rapport: 'Dat is onwaarschijnlijk schadelijk voor mijn integriteit'), de massale vernielzucht in Haren – wanneer iedereen enkel de mores van zijn eigen milieu koestert, verandert de publieke ruimte in een jungle. Hoe komen we van een particuliere weer naar een publieke moraal? Dat is het heetste hangijzer.

Daar gaan we niet snel uitkomen. Maar toch. Winst is alvast het besef dat nog meer regels, nog strenger straffen, nog hardere sancties geen begin van een antwoord zijn.

•

Gevoel

Vorig jaar had ik het geluk een persoonlijke held te ontmoeten: Mr. Frank Visser, alias de Rijdende Rechter. Bij die gelegenheid zei Mr. Frank iets waar ik vaak aan moet denken. Collega's van hem deden – vooral tijdens de eerste jaren van zijn programma – vaak meewarig over de zaken die hij op televisie behandelde. Waar ging het nou helemaal om? Niks moordzaken, roofovervallen, geweld en verkrachting, maar overhangende takken, blaffende honden bij de buren, een onbetaalde rekening, vieze luchtjes en te harde muziek. Geen zware criminelen, maar wrokkige burgers met vertrokken mondhoeken, die wakker lagen van de buurman die zo schaamteloos misbruik maakte van hun goedheid.

Het is maar wat je belangrijk vindt.

Mr. Frank Visser stelde dat zware criminaliteit in de levens van de meeste burgers zelden een rol speelde. Het waren deze kleine ergernissen waar iedereen mee te maken kreeg die de leefsfeer konden bederven. De overheid moest juist wel oog hebben voor zulke nietige zaken.

De afgelopen weken leek Nederland even op een aflevering van *De Rijdende Rechter*. Terwijl de crisis tektonische schokken in de economie veroorzaakt en in Europa kleine stappen met een enorme betekenis voor Nederland worden gezet, zeurde het hier verder over ons sociale onvermogen, dat natuurlijk in de eerste plaats het onvermogen van anderen is.

De aanleiding was steeds een schokkend incident – het doodtrappen van een grensrechter, een tweede zelfmoord vanwege pesterijen – maar de achterliggende discussies gingen over maatschappelijk onbehagen, over het zuur dat langzaam het hele sociale weefsel aantast: de agressieve sfeer rondom het amateurvoetbal, de gruwel van het dagelijkse treiteren op scholen, het gezuig van piepjonge bontkraagjes. Dan was er nog de staatssecretaris die aftrad omdat hij had gesjoemeld met declaraties. En een journalist die de sociale media ontvluchtte omdat hij bedreigd was door reaguurders – in een onbewaakt moment had hij verslaggevers van *PowNews* toegewenst wat reaguurders iedereen de hele dag toewensen.

Genoeg stof voor een weekje Twitter Tourette.

Ik vergat het Polen-probleem. En het PVV-probleem – de partij die aangifte gaat doen tegen de afgetreden staatssecretaris beschermt zelf baantjesstapelaar Machiel de Graaf, die jarenlang vergoedingen opstreek voor wat bij elkaar een achtdaagse werkweek was.

In een mail aan collega's schreef de afgetreden Co Verdaas dat van zelfverrijking geen sprake was. Dat geloof ik, maar hij maakt een denkfout: het gaat niet om die lullige 900 euro, het gaat om vertrouwen. Juist omdat hij op een alledaags niveau niet betrouwbaar is gebleken, heeft hij het zwabberende kabinet nog meer schade toegebracht. In een samenleving waarin wantrouwen overheerst, gaat het kleine aan het grote vooraf: je kunt geen geloofwaardig staatssecretaris van Economische Zaken zijn wanneer je met bonnetjes sjoemelt. Net zo zijn het niet de keiharde maatregelen die door Rutte worden aangekondigd die de populariteit van de man zo snel hebben doen kelderen, maar het grijnzende gemak waarmee hij zijn beloften breekt. Hoe kun je een beroep op saamhorigheid doen wanneer je zelf onbetrouwbaar bent?

De overheid kan het publieke zuur niet zomaar wegnemen, maar ze kan wel vertrouwen herstellen. Allereerst door zelf eens wat betrouwbaarder te worden – en door zich met elan aan de publieke zaak te committeren.

Minister Edith Schippers wees de amateurvoetballers op hun eigen verantwoordelijkheid – terecht, alleen jammer dat ze er zelf maar niet in slaagt enig wij-gevoel uit te stralen. Altijd reagerend, altijd achteraf. Bestuurlijk Nederland is geobsedeerd door autoriteit en gezag, terwijl betrokkenheid wonderen zou doen.

Het een kan ook niet zonder het ander. Kijk naar *De Rijdende Rechter*.

In dezelfde week ook schreef Mark Rutte een open brief aan de jonge cabaretier Jeffrey Arenz, die hem als slachtoffer van pesterijen een open brief had gestuurd. Uit het antwoord: 'Je schrijft terecht dat pesten een groot maatschappelijk probleem is dat duizenden kinderen raakt. Helaas is er niet één oplossing waarmee we pesten van de ene op de andere dag uitbannen. We moeten het echt samen aanpakken, met kinderen, ouders, scholen, gemeentes, (sport)clubs en alle andere mensen en organisaties die hierin iets kunnen betekenen. Het kabinet helpt waar het kan.'

Ik weet niet van wie dit zaaddodende proza afkomstig is, maar het probleem zit wat mij betreft juist in die vlakke ambtenaarstaal. Dat kan beter, Mark. Nog een keer – nu met gevoel.

•

Hoop

Denkend aan Nederland stel ik me een groot gezelschap in een restaurant voor. We zitten aan een lange tafel, er wordt goed gegeten, de sfeer is aangenaam – en als je aan iedere gast afzonderlijk zou vragen: hoe rekenen we straks af, betaalt ieder voor wat hij heeft geconsumeerd? Of doen we niet zo kinderachtig Hollands en slaan we het gewoon hoofdelijk om?

Het antwoord is eensgezind. We delen. We kijken niet op een euro meer of minder.

Maar dan bestelt iemand aan het eind van de tafel een tweede dessert. Een ander laat een glas cognac inschenken – VVSOP, was dat nou nodig? Werd daar een fles champagne doorgegeven? Ja zeg. De sfeer slaat om. De gemoedelijkheid verzuurt, wantrouwen vlamt op. Hoezo gezellig met elkaar – pak die rekening er eens bij.

Terwijl we naar huis lopen: dit gaan we niet nog een keer zo doen.

Het is maar een metafoor. Veel van wat er in Nederland wordt voorgesteld of bepleit, staat in het teken van het gierende wantrouwen dat zich in de maatschappelijke relaties heeft genesteld. Aan één stuk door worden wetten aangenomen die een einde moeten maken aan misstanden, er worden gedragscodes vastgesteld, regels en protocollen opgesteld. Rapport volgt rapport, onderzoek op onderzoek, om te kijken hoe het zover heeft kunnen komen. Het haalt zelden iets uit. Geen wonder – het is alsof je vertrouwen denkt terug te krijgen door na een maaltijd tot op de cent uit te rekenen wat ieder afzonderlijk heeft geconsumeerd.

Een individu is iets verplicht aan de gemeenschap; hij is vrij, maar moet geen misbruik van zijn vrijheid maken, hij draagt verantwoordelijkheid voor meer dan alleen zichzelf. Anderzijds moet de gemeenschap een individu ook iets gunnen wat niet meteen het algemeen belang dient – eigen opvatting, eigen geloof, eigen kunst, eigen hartstocht. Meestal kost dat de gemeenschap iets – geld of verdraagzaamheid.

De balans vinden tussen die twee is hondsmoeilijk. Je kunt eraan ontsnappen door net te doen alsof het probleem niet bestaat, door het totale individualisme te huldigen (Margaret Thatcher: 'There is no such thing as society') of aan de andere kant de verbeten gezamenlijkheid (Spekman: 'Nivelleren is een feest').

De meeste mensen bevinden zich tussen deze twee posities in, ze krijgen alleen wel een waas voor hun ogen bij de extreme posities van de partij met wie ze zich het minst verwant voelen – het inmiddels volkomen versleten 'eigen broek ophouden' van neoliberalen met hun 'subsidiejuk' en 'staatsinfuus', en anderzijds het met sociale rancune geïnjecteerde 'eerlijk delen' van neosocialisten.

Hoe krijg je dat vertrouwen terug? De afgelopen tijd regende het sombere berichten – het vertrouwen in het kabinet bereikte een nieuw dieptepunt, het wantrouwen jegens Europa bleek opnieuw gegroeid – en uit een nieuw rapport van het Sociaal en Cultureel Planbureau bleek dat de afgelopen tien jaar autochtone en allochtone Nederlanders niet tot elkaar gekomen zijn. Maatschappelijk gaat het nieuwe Nederlanders steeds beter, maar de gevoelsafstand lijkt alleen maar toe te nemen.

Over dat laatste: in *de Volkskrant* gaf Aydin Akkaya van het Inspraak Orgaan Turken (IOT – naam uit een andere tijd) tegengas. Turkse Nederlanders 'hebben geen zin in dat voortdurende gezeik, ze trekken hun eigen plan. Dat ze niet zijn geïntegreerd, kun je niet stellen. Ze zijn gewoon voor zichzelf gaan zorgen. [...] Als andere minderheden ruziën omdat ze de disco niet in mogen, opent een Turk zijn eigen disco.'

Het is een antwoord. Laat iedereen na het eten gewoon voor zichzelf betalen, dan zijn we tenminste van het gezeur af. Beter nog, laten we niet meer met elkaar eten.

Mwah.

De bekende Amerikaanse schrijfster A.M. Homes zei in een gesprek over haar werk op Twitter tegen mij dat veel critici verbaasd waren dat zij, bekend om haar genadeloze oog voor menselijke onvolkomenheden, haar roman een keihard happy end had gegeven. *Vergeef ons* begint met een Thanksgiving-diner dat hopeloos ontspoort in moord en doodslag en eindigt vijfhonderd bladzijden later met weer zo'n diner, waar een groepje getekende mensen vervuld van welwillendheid een soort van familie met elkaar vormt.

Sommige lezers vonden dat sentimenteel, zeker gezien de ellende die eraan vooraf ging. Maar Homes had nergens spijt van. 'De vraag is,' twitterde ze, 'hoe je optimistisch kunt zijn in een tijd die niet gekenmerkt wordt door optimisme.'

Ja.

•

Hollands drama

Nog niet zo lang geleden wilde niemand er dood gevonden worden: wie tijdens de paarse jaren iets heel ergs over Nederland wilde zeggen, riep dat Nederland net zo braaf als Denemarken dreigde te worden. Als je echt beledigend wilde zijn, beweerde je dat Nederland het Jutland van Europa dreigde te worden. Er was weinig mis met Denemarken en precies dat was er mis mee – een brave sociaaldemocratie, harmonieus en bijna helemaal af, maar juist daarom ook gruwelijk nietszeggend. Vooral: niet internationaal aanwezig zoals Nederland dat zo graag wilde zijn, moreel en cultureel.

Wanneer zijn de rollen omgedraaid?

In de *New Yorker* ging het een flink aantal pagina's over Denemarken – en natuurlijk vooral over het wereldsucces van dramaseries als *The Killing*, *Borgen* en *The Bridge*, die onverwachts een reusachtig niet-Deens publiek trekken. Deens drama is het gesprek van dag, Scandinavische thrillers voeren de bestsellerlijsten aan, in Kopenhagen worden drommen rondgeleid langs uit series bekende plekken. Denemarken spreekt tot de verbeelding – zoals Nederland dat niet meer doet. Alles over Nederland wordt tegenwoordig internationaal gekraakt – onze politiek, onze xenofobie, onze keuken. Als het niet gekraakt wordt, weet men niet dat het bestaat.

Denemarken heeft *The Killing*. Wij hebben *De verbouwing*.

Ook hier wordt inmiddels gedweept, vooral met *Borgen*. Maar de vraag die het succes van deze series oproept, wordt niet gesteld: waarom maken wij zulke series niet? Aan het potentieel ligt het niet: we hebben de acteurs, de regisseurs, en net genoeg scenarioschrijvers. Belangrijker: we hebben het decor. Nederland is, net als Denemarken, een aangeharkte sociaaldemocratie die werd overvallen door de gevolgen van globalisering – wat maakbaar leek, blijkt ineens onhanteerbaar. Wat er homogeen uitzag, blijkt pijnlijk versplinterd. Politici die vertrouwen inboezemden, blijken opportunisten die er maar een slag naar slaan. Net als in Denemarken hebben ook wij een anti-immigratiepartij die een wankele regering gedoogde. Alles hebben we. Behalve het succes.

Waar dat aan ligt? Nederlandse fans van *The Killing* en *Borgen* prijzen, behalve het gevoel voor spanning en intrige, vooral de herkenbaarheid. Femke Halsema over *Borgen*, dat gaat over de dilemma's van een vrouwelijke premier: 'Ik herkende zoveel: dat alles wat je met je gezin doet, wordt onderbroken door telefoontjes. Hoe vaak heb ik niet met mijn jas aan de kinderen in bed gestopt?' In huize Samsom bestaat weinig begrip voor de zuchtende echtgenoot van die Deense politica: '[mijn vrouw] vindt Philip, de echtgenoot van Brigitte, een slappe zak. Dat-ie het niet volhoudt. Mijn vrouw is gelukkig een sterkere persoonlijkheid.'

Zeker, dat soort herkenbaarheid is er volop. Maar ze staat in dienst van een ander soort herkenbaarheid: die van mensen in een samenleving die niet langer overzichtelijk is, waar de realiteit hopeloos achterblijft bij de verwachtingen, waar de droom van de maatschappelijke haalbaarheid van zowel links als rechts voortdurend teniet wordt gedaan. Daar worstelen die Deense personages mee – niet met gebrek aan tijd voor hun gezin, maar met hun eigen falende oprechtheid, hun onvermogen om zo goed te zijn als ze zouden willen zijn. Voortdurend plegen ze verraad aan zichzelf. En precies dat maakt ze ook buiten een Deense context herkenbaar.

Nederlands actueel drama is er wel, maar vaak blijft het bij de reconstructie van een affaire. Op de site van *de Volkskrant* werden *Borgen* en de Scandi-thrillers stevig in de traditie van de 'extreemlinkse geëngageerdheid' van het Zweedse schrijversduo Sjöwall & Wahlöö geplaatst. Dat onbegrijpende 'geëngageerdheid' in plaats van engagement, alsof het een aandoening is, daar zit heel het onvermogen in, de verklaring waarom wij er niet in slagen om herkenbaar te worden voor de rest van de wereld, waarom het talent van acteurs hier wordt afgemeten aan de mate waarin ze een goede Bernhard of Beatrix neerzetten, waarom wij voor de wereld nietszeggender zijn geworden dan Jutland ooit geweest is. Over Fortuyn, die als fenomeen net iets belangrijker is geweest voor het hedendaagse Nederland dan 'de schavuit van Oranje', is één lachwekkende speelfilm gemaakt, emotie zonder inzicht.

Een land dat herkenbaar wil zijn voor de rest van de wereld, moet eerst in staat zijn zichzelf te zien. Het succes van Deens televisiedrama is een klap in ons gezicht.

•

Wat is een natie?

Wedden dat er een comité aan te pas kwam? Ter gelegenheid van de troonsbestijging van Willem-Alexander krijgt ieder Nederlands huishouden binnenkort het Nationale Kroningsboek toegestuurd. Dat boekje, meldt *Sp!ts*, gaat niet over de glorie van de monarchie, maar is gevuld met 'toekomstdromen van Nederlanders'. Ik was even weg, misschien heb ik de omslag gemist, maar ik had de indruk dat er in Nederland tegenwoordig niet veel over de toekomst wordt gedroomd.

Te druk met schelden op het heden.

'Zitten we daar wel allemaal op te wachten?' vraagt *Sp!ts* zich dan ook retorisch af. Nee, lees maar op Twitter – 'Kan ik mij alvast afmelden voor dat kroningsboek dat iedereen gratis krijgt? Scheelt tenslotte weer wat in de kosten!' En: 'Heeft iemand al een IK WIL DAT KRONINGSBOEK NIET MAFFE GELDVERSPILLERS-sticker gemaakt?'

Naïeve blijmoedigheid tegenover infantiele recalcitrantie – wie een sociale geschiedenis van Nederland over de afgelopen veertig jaar wil schrijven, komt met die samenvatting een heel eind. Men probeert de monarchie te vieren als een feest voor iedereen. En er gaan mensen heel hard op de monarchie schelden. Of nog Hollandser, klagen dat er niet genoeg gescholden wordt op de monarchie.

Tel het bij elkaar op en je beseft dat het goed zit met het nationale gevoel. Dit land valt nooit uiteen. Dit land weerstaat de golven van globalisering en immigratie. We hebben elkaar veel te hard nodig – om uit te schelden, om schande van te spreken, te bedreigen of gewoon keihard de maat te nemen.

Zelfs het Marokkanen-probleem doet verdacht Hollands aan. In een brandbrief, die werd ondertekend door een kleine negentig Marokkaanse organisaties, werd de Tweede Kamer opgeroepen in het geplande 'Marokkanen-debat' te benadrukken dat die Marokkanen in de derde generatie gewoon Nederlanders zijn – en dat het bovendien met veel Marokkanen wel goed gaat.

Een kleine *negentig* organisaties.

Volgens mij heeft heel Marokko zelf amper negentig organisaties. Dat lijkt me pas echt een probleem – die Hollandse neiging om voor iedere sociale scheefgroei een werkgroep of platform op te richten, zwaar gesubsidieerde organisaties die vervolgens bureaucratiseren en het contact met de achterban verliezen – uh, welk contact? Het stikt in dit land van de vertegenwoordigers. En niemand die zich vertegenwoordigd voelt.

Iedereen benoemt. Alleen benoemt iedereen iets anders.

In 1882 vroeg de Franse denker en historicus Ernest Renan zich in een beroemd geworden lezing af wat dat eigenlijk was, een natie. In zijn betoog, waarvan een nieuwe vertaling is uitgegeven door opinieblad *Elsevier*, rekent Renan hard af met het idee van de natie als lotsbestemming, zo geliefd bij negentiende-eeuwse nationalisten – en nu opnieuw gekoesterd door neonationalisten met hun anti-Europa-obsessie. Ook cultuurfundi's krijgen een pets. 'Bij overdrijving hiervan, sluit men zich op binnen zijn afgebakende cultuur, die voor nationaal gehouden wordt; dit is zelfbeperking, men plaatst zichzelf in een hokje. Men verlaat de frisse lucht die men inademt op het wijde veld van de mensheid, om zich af te zonderen en zich louter te beperken tot zijn landgenoten. Niets is slechter voor de geest; niets is schadelijker voor de beschaving.'

Tegelijk – en dat maakt Renans betoog nog actueler – dwingt de Fransman zijn lezers te erkennen dat de natie zich niet zomaar laat ontkennen. Voor blinde kosmopolieten heeft hij geen geduld. Nederland – dat hij een aantal keren als voorbeeld noemt – is voor hem een echte natie. Er is die historische vergroeidheid met elkaar, de gedeelde ervaring van eeuwen. Onmiskenbaar: we horen bij elkaar. Schrik niet, dat hoeft niet positief te zijn, we hoeven niet van elkaar te houden. Je kunt ook het gevoel hebben dat je tot elkaar veroordeeld bent. Ik noem het negatieve saamhorigheid. Juist die vieren we ieder jaar hartstochtelijk opnieuw.

•

Zwendel

Consumenten in de VS hebben de brouwer van Budweiser-bier voor de rechter gesleept: in veel blikjes, zeggen ze, zit minder alcohol dan erop staat. Dat lijkt – sorry – klein bier, verbetenheid van mensen die niets beters te doen hebben. Maar ik moest denken aan de bekentenis van de gewezen DE-topman Michiel Herkemij, toen hij toegaf dat er jarenlang met opzet minder koffie in de Senseo-koffiepads was gedaan. Senseo wordt gemaakt voor mensen zonder smaak, die koffie verhoudt zich tot espresso als Mark Rutte tot staatsman, Jan Smit tot zingen en Paolo Coelho tot filosofie – dus niemand die het doorhad. De tijdelijke vervanger van Herkemij (die na amper een jaar vertrok, met ruim vijf miljoen) stelde vorige week min of meer dat Senseo nog steeds niet te zuipen is. Maar vooral maakte hij zich druk over de 5 tot 10 procent kopers van de nieuwe Sarista-bonenmachine die de bijbehorende 'bonenfunnels' kraken. Die vullen ze dan met hun eigen bonen in plaats van die van Douwe Egberts.

Koekje van eigen deeg, zeg ik. Interim-topman Jan Bennink zag dat anders: 'We gaan die mogelijkheid afsluiten.'

Het tekent de houding van een bedrijf als DE tegenover zijn klanten. Jarenlang wordt de consument uit louter winstbejag kwalitatief tekortgedaan – maar o wee als diezelfde consument ook maar een honderdste procent van die winst dreigt af te snoepen. De klant wordt eerst gemanipuleerd en dan gewantrouwd.

Jarenlang dachten we dat alle kwalen van de samenleving op de politiek terug te voeren waren. Terwijl het opgehitste volk tierde over Haagse zakkenvullers, werd het ongemerkt uitgekleed door de hoeders van de nieuwe economische orde – commerciële omroepen met sponsors, belspelletjes en opzichtige sluikreclames, banken met hun rommelproducten, en de populaire sport, die eerst werd aangetast door een allesoverheersende commercie en vervolgens – logisch gevolg – door corruptie. Terwijl iedereen zich het hoofd brak over het democratisch tekort, werd de burger/consument moeiteloos tot een object van eindeloze commerciële manipulatie gemaakt. Onder luid applaus, winst was het nieuwe geloof. En nu: paardenvlees in de lasagne, doping in Michael Boogerd, grootschalige omkoping in het betaald voetbal, grootscheepse fraude bij SNS Reaal, het wilde gegok bij de woningcorporaties. Hier werd in korte tijd meer maatschappelijk vertrouwen uitgehold dan waartoe de Haagse bestuurders ooit in staat waren geweest. En ironie: juist toen de politieke klasse het ongeremde marktdenken omhelsde, werd ze door massa's burgers toegejuicht.

Paardenvlees en doping, gooi ik alles op één hoop? Ik denk het niet. Wat zich aftekent is een mentaliteit van geïnstitutionaliseerde zwendel. Oplichters zijn van alle tijden, georganiseerde criminaliteit eveneens, maar je zult lang moeten zoeken naar zwendel die gedragen wordt door een geloof, de morele overtuiging dat die zwendel in dienst staat van een goede zaak, een hoger doel. In dat licht was de bekentenis van Herkemij over de Senseo-pads van betekenis – hier werd voorzichtig afstand genomen van een verrotte mentaliteit, waarbij de klant het middel was en de aandeelhouder het doel.

Die mentaliteit wordt nog altijd voorgesteld als een natuurkracht. Piet Moerland, bestuursvoorzitter van de Rabobank, in *NRC Weekend*: 'Als je principieel dingen afwees, prees je jezelf uit de markt. Dat leek me niet verstandig. Achteraf werden we meegesleept. Achteraf gezien waren we onderdeel van een systeem dat op hol is geslagen.'

Het klassieke excuus, dat nu overal klinkt: ik was maar een klein radertje in het systeem, je moest wel, niemand wilde luisteren, anders waren we kopje-onder gegaan. En, die mantra klinkt ook bij Piet Moerland, de beste stuurlui, et cetera, achteraf is het makkelijk praten.

Maar toen de directrice van een vastgoedtak van SNS, Hetty van de Laar, malversaties bij die bank op het spoor kwam, werd ze eerst doodgezwegen. Daarna werd haar zwijggeld aangeboden.

Het is waar dat de mentaliteit die nu overal ontmaskerd wordt zich voordeed als een cultuur waaraan vrijwel niemand zich kon onttrekken – maar niet omdat men niet durfde, maar omdat men niet wilde. Je werd niet gedwongen, je wilde erbij horen. Niets zo fijn als een gedeeld geloof. Het afscheid is verdomd lastig, omdat het geloof nog altijd een beetje in je zit. Achteraf is het helemaal niet makkelijk praten, zoals Moerland beweert – het blijkt juist verdomde moeilijk. Al die halfhartige schuldbekentenissen en dat luchthartig schouderophalen. Het echte praten moet nog beginnen.

•

Dwang

Vreten, roken, zuipen, neuken – blader een krant door en je beseft hoe de samenleving met die pijnpuntjes van de menselijke natuur in haar maag zit. In New York tikte de rechter burgemeester Bloomberg op de vingers, omdat hij obesitas wilde tegengaan door de verkoop van XL-bekers frisdrank te verbieden. Ging niet door. In Nederland zijn twee longartsen de website tabaknee.nl gestart, waarop hardleerse vertegenwoordigers van de tabakslobby, zoals de moeder van vicepremier Lodewijk Asscher, ter verantwoording worden geroepen. Tegelijkertijd werkt Asscher zelf met collega Opstelten aan een notitie over misstanden in de seksbranche. En overweegt zijn partij een algeheel verbod op prostitutie. Hoerenlopers zijn dan voortaan crimineel.

Decennialang heerste de progressieve overtuiging dat een mens gebaat zou zijn met zo veel mogelijk vrijheid – het opheffen van het bordeelverbod in 2000 was er een late uiting van. Wie volkomen vrij was, zou vanzelf wel gelukkig worden. Daarna kwam de desillusie – wie vrij was, maakte soms, vrij vaak eigenlijk, keuzes die niet goed uitpakten. Voor niemand – niet goed voor jezelf, niet goed voor anderen, niet goed voor de maatschappij. Lang dacht men dat het een kwestie van voorlichting en bewustwording was; wanneer je mensen maar vaak genoeg zou wijzen op de schadelijke effecten van hun al te menselijke neigingen, zouden ze vanzelf het licht wel zien.

Niet dus.

Vandaar de opkomst van wat ik het morele moralisme noem – de overheid gaat zich bij afwezigheid van een publieke moraal uitdrukkelijk met de negatieve effecten van de persoonlijke vrijheid bemoeien – tot ver achter de voordeur. Voor onze bestwil: het gaat de hoeders van de nieuwe moraal niet om de rekening van wangedrag (het economisch moralisme: omdat jij ongezond leeft, gaat mijn premie omhoog!). Men is er langzaam maar zeker van overtuigd geraakt dat mensen tegen zichzelf beschermd moeten worden – wanneer je mensen aan zichzelf overlevert, maken ze er immers steeds weer een potje van. Lees de rapporten, kijk naar de statistieken. Het opheffen van het bordeelverbod heeft vrouwenhandel niet teruggedrongen – dus nu het andere uiterste maar eens geprobeerd.

Wie niet horen wil, moet maar gedwongen worden.

Juist omdat het om een reactie gaat – tegen die laffe gedoogcultuur, tegen de beverige angst om morele standpunten in te nemen – lijken nieuwe moralisten als Asscher en publiciste Myrthe Hilkens niet of nauwelijks te beseffen hoe glad het ijs is waar ze zich op begeven. Iedere kritiek wordt afgedaan met het aanhalen van verschrikkelijke misstanden. Hilkens: 'Een groot deel van de prostituees wordt dag in, dag uit verkracht. Zo voel ik het, als ik bedenk dat 50 tot 80 procent van de vrouwen wordt gedwongen.'

50 tot 80 procent, dat lijkt me een onzeker percentage, maar het gaat hier kennelijk om de emotie, iedere verkrachte prostituee is er een te veel. We zijn hier ver van de gezellige Amsterdamse rosse levens van de gezusters 'Ouwehoeren' Fokkens. Die werden na de publicatie van hun bestseller dan ook niet betrokken bij het Amsterdamse prostitutiebeleid.

De mens is zwak en zal zwak blijven – dat is geen excuus, maar wie je in de eerste plaats moet aanpakken, zijn de mensen die misbruik maken van die zwakheid, die de zwakheid genadeloos exploiteren: de pooiers van het consumentisme. De actie van burgemeester Bloomberg vind ik te rechtvaardigen – het is niet dat hij het drinken van frisdrank wil verbieden, hij wil alleen de fabrikanten die de consument steeds grotere hoeveelheden calorieën willen aansmeren een halt toe roepen. Tegen vrouwenhandel kan de wet niet streng genoeg zijn. En het ontmoedigen van roken heeft weinig zin, zolang de tabakslobby haar invloed tot ver in de Nederlandse politiek laat gelden. De website van de twee longartsen is dus ook te rechtvaardigen, omdat ze op redelijke toon een geaccepteerde vorm van hypocrisie blootlegt. Irene Asscher-Vonk: 'Toen sigarettenfabrikant Philip Morris mij polste voor een commissariaat, heb ik getwijfeld. Toen heb ik ook mijn kinderen gebeld met de vraag of ze zich zouden schamen. Hun reactie: "Nee mam, als je dat doet, schamen we ons daar echt niet voor."'

Waarom niet, vraag je je af. Als we het toch over publieke moraal hebben.

Een paar jaar geleden zei de Duitse schrijfster Juli Zeh tegen mij: 'Mijn zorg is dat ons democratisch systeem wordt vervangen door de pseudodemocratie, waarin de staat de burgers wetten oplegt. De macht ligt dan niet langer bij de burger, maar bij de overheid die zegt het welzijn van de burger als belangrijkste doel te hebben.'

Met speculeren over een prostitutieverbod is een gevaarlijke grens bereikt.

Kwade zaken

Dan maar de vlucht naar voren: de hematoloog Jo Marx spreekt schande van het rapport uit 1999 waarin wielrenner Erik Dekker werd vrijgesproken van het gebruik van doping. Marx in *de Volkskrant*: 'Wetenschappelijk stelde dit onderzoek niets voor. [...] Dit was een heel toegepast onderzoek met zeer gebrekkige middelen. Werk dat in de prullenbak hoort.'

De hoge toon doet anders vermoeden, maar het was Marx zelf die het onderzoek deed. De commissie droeg zelfs zijn naam.

De wetenschapper beging een doodzonde, bezoedelde zijn beroepseer, en nu alles uitkomt en hij toch al met pensioen is, breekt hij de staf over zijn vroegere zelf. Die was zo ontzettend onwetenschappelijk bezig.

Moed in Nederland komt altijd een beetje laat.

Fascinerend aan het geval-Dekker is het gemak waarmee een wetenschappelijke commissie zand in de ogen van het publiek strooide. Omdat bij het bloedprikken het stuwbandje te lang om de arm van Dekker had gezeten, had hij een verhoogd hematocriet – wat normaal op het gebruik van het verboden epo wijst, maar nu dus toevallig eens een keertje niet.

Ah, zo.

Wetenschap als dekmantel, de wetenschapper als advocaat van kwade zaken – juist omdat het om ingewikkelde expertise gaat, kun je mensen alles wijs maken. Commerciële belangen worden steeds vaker toegedekt met een sausje van onderzoek om ze de schijn van feitelijkheid te geven. We zijn eraan gewend – de witte jas in de commercial, geen reclame zonder 'onderzoek heeft aangetoond'. Je gelooft het, omdat je wou dat het waar was. Van mensen die er iets van af weten hoor ik al jaren dat er geen verband is aangetoond tussen een hoge cholesterol en hart- en vaatziekten, maar de reclame blijft rustig een ander verhaal suggereren.

Trouw berichtte dat de voormalige CDA-staatssecretaris van Milieu Pieter Van Geel als voorzitter van de belangenvereniging Frisdrank, Waters, Sappen (FWS) gaat lobbyen tegen het heffen van statiegeld op kleine flesjes. In een artikel in het brancheblad *Frisnieuws* – ik verzin niks – suggereert hij meteen maar dat kraanwater een stuk ongezonder is dan verpakt water. Zeker, het is nu nog best te drinken, maar het is opletten geblazen, 'aangezien er steeds meer diffuse stoffen in het afvalwater komen'.

De verkoop van water in plastic flesjes moet volgens Van Geel ruim baan krijgen, omdat de 'milieu-impact' zo laag is. Kletspraat, de kwaliteit van kraanwater is hetzelfde als die van bronwater – en het staat onomstotelijk vast dat kraanwater het milieu veel minder belast. Maar Pieter 'diffuse stoffen' van Geel heeft vast ergens een paar A4'tjes liggen waarop in de taal van de wetenschap het tegendeel wordt gesuggereerd. 1 + 1 = wat je er zelf van maakt.

Van de ophef over zijn nieuwe functie begrijpt Van Geel overigens niets – als staatssecretaris blokkeerde hij immers al de heffing van statiegeld, ook al kwam de frisbranche zijn belofte van een radicale vermindering van zwerfafval bij lange niet na. De gedachte dat hij zich als staatssecretaris ook al als lobbyist gedroeg is dus helemaal verkeerd. Zijn benoeming moeten we niet zien als beloning voor bewezen diensten – het is meer een eerbewijs aan zijn wetenschappelijk inzicht.

De Tweede Kamer besluit over het afschaffen van statiegeld. Robbert van Duin van Recycling Nederland: 'Dan gaat een voormalig staatssecretaris dus lobbyen bij de huidige staatssecretaris van Milieu.' Welkom in de lobbycratie.

Wat als je onwelgevallige feiten niet naar je hand kunt zetten? Dan moffel je ze weg. Staatssecretaris Wilma Mansveld ging niet alleen over statiegeld, maar ook over infrastructuur. Ze raakte in verlegenheid toen bleek dat haar ambtenaren een alarmerend rapport over veiligheid van het spoor niet naar de Tweede Kamer hadden gestuurd.

Wat stond er in dat achtergehouden rapport? De Inspectie Leefomgeving en Transport concludeerde dat de goedkope aanbesteding van het spooronderhoud door ProRail tot extra vertragingen en veiligheidsrisico's leidt. Allemaal feitelijk onderbouwd, alleen kwamen de feiten gewoon even niet goed uit – en het was godsonmogelijk er een positieve draai aan te geven. In de la ermee.

Mansveld kondigde maatregelen aan.

Een paar maanden later. De ambtenaren die het rapport in de la lieten liggen, verklaarde topambtenaar Jan Willem Holtslag, hebben dat 'niet met opzet gedaan'. Ze 'schamen zich voor hun fouten' en zijn bereid 'lessen te trekken'. Daarom, stelt topambtenaar Holtslag, is het niet nodig stappen te ondernemen. Het vertrouwen is hersteld.

•

Wereldwijf

Terwijl Nederland het doorgaan van Anouk naar de finale van het Eurovisie Songfestival vierde alsof een nationaal trauma was overwonnen, hield een enkeling het hoofd koel. TROS-directeur Peter Kuipers verklaarde te midden van de euforie dat hij er niet aan moest denken dat Anouk ook echt zou winnen – want dan moest de TROS het festival volgend jaar samen met de AVRO organiseren. Daar voelde hij niets voor. Dat kostte namelijk geld. Veel geld. In Azerbeidzjan keken ze misschien niet op een paar miljoen, in Nederland lag dat een stuk moeilijker.

Het verklaarde meteen de abominabele inzendingen van Nederland vanaf het moment dat de TROS het Songfestival onder zijn hoede had genomen – samen met Sieneke en Vader Abraham was alles op alles gezet om te voorkomen dat Nederland misschien per ongeluk zou winnen. Om die reden was Kuipers ieder jaar zelf met zijn entourage naar het organiserende land afgereisd – zorgen dat het niet goed kwam. Dat Joan Franka met haar indianentooi kraaienvals zong – alles volgens plan.

De TROS-directeur zat nu merkbaar met het succes van Anouk in zijn maag – en ook met Anouk zelf. Een paar jaar geleden nog maar zag de toekomst er immers heel anders uit. Heel Nederland, dat was zeker, zou in Volendam veranderen. Dagelijks de palingsoap op televisie, de ether gevuld met de matte jongenslyriek van Nick en Simon, de spontane Monique Smit voor de kinderprogramma's en Jan Smit verder vierentwintig uur per dag overal, tot en met het commentaar op het Songfestival.

Een dwars TROS-programma als *Dit was het nieuws* moest weg. Het lag gewoon niet echt goed in Volendam, waar Geert Wilders de held was. Jammer dan.

In Nederland is iedere strijd allereerst een sociale strijd. De afgelopen jaren stonden in het teken van het assertieve neonationale gevoel, waarbij uit naam van 'het volk' alles herkenbaar Nederlands moest worden of blijven. Kwaliteit was zo'n woord; als veel mensen het leuk vonden, dan was dat kwaliteit genoeg. Het was een mengeling van nostalgisch verlangen en een diepliggend gevoel van miskenning. Die emotie werd politiek en commercieel genadeloos uitgebuit: Wilders met zijn Limburgse zuurvlees, Linda de Mol met *Ik hou van Holland*, het prachtblad en de radiozender 100% NL, de melk 'gegarandeerd van de Hollandse weide' van FrieslandCampina, het bedrijf dat ook Appelsientje Multi Vitamientje Hollands Fruit op de markt bracht (waar geen Hollands fruit in zit, zoals Pickwick Dutch Tea Blend geen Hollandse thee is).

Het cliché in die jaren luidde dat Nederland de blik nog enkel op zichzelf gericht had. Maar er was helemaal geen blik meer – het was één groot zwelgen in quasi-Hollandse meuk. Peter Beense en Grad Damen liepen zich al warm voor het Songfestival. De zoon van René Froger scheen ook best een beetje te kunnen zingen.

Dat het succes van Anouk zo heftig werd gevierd door mensen die de afgelopen jaren vooral hadden gescholden op dat idiote Songfestival is gemakkelijk verklaard: behalve het onuitroeibare verlangen om internationaal gezien te worden, gaat het vooral om een afrekening binnen het milieu: eindelijk verlost van de terreur van de brutale wansmaak. De nieuwe opstandigheid deed zich al gelden in het rumoer rond het kreupele Koningslied, die typisch Hollandse mengeling van geleend pathos en vals sentiment, waarmee de artiesten uit naam van de populaire smaak een plaatsje naast de Troon opeisten.

En toen bleek een authentiek, intens droevig en mooi gezongen lied ineens te scoren op het Songfestival. Geer en Goor vlogen uit pure paniek als kippen in het gaas; geen gelegenheid bleef daarna onbenut om het liedje van Anouk zwart te maken. Luister een minuut naar LA The Voices en je begrijpt waarom.

De TROS-directeur, die eerder zijn uiterste best gedaan had om Anouk buiten de deur te houden maar moest zwichten toen Nederland onder zijn verantwoordelijkheid jaar in, jaar uit een modderfiguur sloeg, koos vervolgens noodgedwongen de vlucht naar voren. Kuipers: 'Nu gaan we ervoor. Wat een wereldwijf.'

Maar niet winnen dus.

Mannen die vrouwen een 'wereldwijf' noemen. Als ik Anouk was, zou ik ver uit zijn buurt blijven.

Wat je ziet is wellicht het begin van een kentering. De Volendammisering van Nederland, eindeloos opportunistisch aangejaagd en afgekondigd door mannen als Peter Kuipers, lijkt aan kracht te verliezen. Er zijn te veel mensen die er genoeg van hebben.

Kaarsjes branden

Op ontzetting volgt in Nederland steevast ontzetting over de ontzetting: zeg, het nationale medeleven met de twee gedode broertjes uit Zeist gaat alle perken te buiten! Een week lang hagelde het opiniestukken: het zijn de media die geen maat weten te houden, het zijn sensatiebeluste burgers die in de auto stappen en van de plaats delict een attractie maken. De collectieve uitbarsting van emotie is een vorm van nieuwe religiositeit. Niet waar: het is het verlangen naar een verdwenen wij-gevoel. Welnee, het is een nieuwe vorm van nationalisme (een Rotterdamse socioloog in *de Volkskrant*: 'Niet voor niets werd de vlag die halfstok ging bij de plaatselijke voetbalclub uitvoerig in beeld gebracht').

De overkill aan openbaar verdriet verandert vrijwel meteen in een overkill aan duidingsdrift. Daarbij maakt men zich schuldig aan wat men de ander nu juist verwijt: ongevoeligheid. De dood van twee kinderen is een huiveringwekkende gebeurtenis die emoties bij mij oproept waarvoor de taal niet een-twee-drie gevonden is. Het beste kun je er stil over zijn, maar stilte is ongemakkelijk – vooral als anderen er steeds doorheen praten. Dat er meteen een stammenstrijd losbarst over de juiste manier waarop zo'n gebeurtenis beleefd moet worden, geeft, zo lijkt het, vooral het ongemak met emotie aan.

Een minder pijnlijk voorbeeld: toen de eenzame bultrug Johannes eind 2012 een langzame dood stierf op het strand van Texel, gebeurde hetzelfde: een mediale uitbarsting van betrokkenheid en daarna de bijtende commentaren: in wat voor land leven we, ze willen een stille tocht voor een dode vis organiseren!

Een groepje rouwenden die een kaarsje branden voor een gestorven walvis – in een film van Fellini zou het een aandoenlijke scène zijn geweest.

Verdriet is nooit objectief. Onlangs verloor ik een dierbare. Wanneer mensen mij hun medeleven tonen, roept dat bij henzelf ook meteen gedachten op aan verlies – of angst voor verlies – in hun eigen leven. Niets is natuurlijker, het is geen miskenning van mijn verdriet. Het zou raar zijn als het anders was.

Tegen de huidige Hollandse overdaad aan emoties wordt nu steeds een hogere nuchterheid in stelling gebracht. In het geval van Johannes herinner ik me een opiniestuk van een bioloog waarin werd gesteld dat af en toe een dode bultrug goed was voor het biologisch evenwicht. De irrationele omgang met dit soort gebeurtenissen was een miskenning van de werkelijkheid. En daarom schadelijk. We moesten leren om de wereld wetenschappelijk te beleven.

Ander voorbeeld: op internet zag ik een nieuwsitem waarin een van de slachtoffers van een tornado in Oklahoma, een zwaarlijvige bejaarde vrouw, tussen de puinhopen van haar huis een verslaggever te woord staat. Ze vertelt hoe ze met haar hond op de bank zat en ineens bloedend onder het puin lag. Hond weg.

Terwijl ze berustend haar verhaal vertelt, ontdekt ze haar hond in de ravage. Levend! Terwijl ze het stoffige beest aait, zegt ze dat haar gebed verhoord is.

Op Facebook ontspon zich meteen een discussie: als de vrouw werkelijk dacht dat God haar gebeden verhoord had, dan was ze zeker vergeten dat God die tornado ook op zijn geweten had. Eronder plaatste iemand de uitglijder van CNN-anchor Wolf Blitzer, die ervan uitging dat een vrouw met baby de Heer bedankt had voor haar redding tijdens dezelfde tornado. De vrouw giechelde verlegen: 'I am actually an atheist.'

Maakt het uit? Is het een kwestie van rede en onrede, van religie en ratio, van sentiment en nuchterheid?

De dood is een groot en ontzagwekkend ding. Een ontsnapping aan de dood zal altijd iets van een wonder hebben, ook zonder God. Elkaar vliegen afvangen over de enige juiste beleving van dit soort emoties is onverkwikkelijk.

Ieder op zijn eigen manier. Het is al moeilijk genoeg.

Toch begrijp ik het ongemak. Dat we geneigd zijn het leed in de wereld op onszelf te betrekken, is natuurlijk. Dat je daarbij naar herkenbaarheid zoekt, lijkt me begrijpelijk. Maar de onderhuidse boosheid in al die commentaren gaat terug op de gerechtvaardigde angst dat het enkel bij die ik-beleving blijft – dat we niet meer in staat zijn tot het omgekeerde, vanuit onze betrokkenheid met onszelf betrokkenheid met de wereld om ons heen te voelen.

Zoals de Schotse schrijfster Pat Barker in haar roman *Life Class* schrijft: 'It's the hardest thing in the world to go on being aware of someone else's pain.' Pijn van anderen op je eigen leven betrekken is menselijk. Blijvende betrokkenheid bij de pijn van anderen is een reusachtige opgave.

•

Fiasco

Toen de Tweede Kamer besloot een parlementaire enquête over de ondergang van de Fyra te houden, zonk de moed me pas in echt in de schoenen. Een parlementaire enquête! Waar ging de vorige ook alweer over? En die daarvoor? Wat waren de gevolgen van de ongetwijfeld harde conclusies, de dwingende aanbevelingen?

Niet doen.

We zijn gewend dat grote projecten eindeloze vertragingen oplopen. We weten dat de kosten van iedere onderneming de pan uit zullen rijzen. We weten dat iets groots na talloze aanpassingen en procedures als het klaar is, altijd een stuk kleiner is geworden. Maar dat iets zo faliekant mislukt, is een nieuwe ervaring. Het gaat weliswaar om een trein naar België, maar als voorbeeld van nationaal falen op alle niveaus heeft het Fyra-fiasco de huiveringwekkende schoonheid van een tragedie.

We wilden prestige, we werden potsierlijk.

'Het zwaarste middel dat de Tweede Kamer tot haar beschikking heeft,' noemde PvdA-Kamerlid Duco Hoogland een parlementaire enquête maar weer eens in zijn blog. Mij lijkt het een onmachtige reflex. Het doodse proza van de sociaaldemocratische vervoersspecialist doet ook hopen dat hijzelf niet plaatsneemt in de commissie.

Lees even mee:

> Voor de PvdA staat zorgvuldigheid in dit dossier voorop. Natuurlijk moeten er zo snel mogelijk weer hogesnelheidstreinen tussen Nederland en België gaan rijden en tevens dienen alle vragen beantwoord te worden over de vraag hoe dit zover heeft kunnen komen. Maar de snelheid mag niet ten koste gaan van de kwaliteit van de besluitvorming. Deze keer moeten echt alle mogelijkheden worden bekeken en moeten we geen overhaaste beslissingen nemen.

U bent er nog. Nog eentje dan:

> Het is zaak om nu zowel vooruit te kijken naar een oplossing, als om terug te kijken om te leren van gemaakte fouten. Bij beide staat zorgvuldigheid voorop.

Zouden politici als Duco misschien zelf een deel van het probleem zijn?

Het resultaat van zo'n enquête over de Fyra? Iedereen draagt schuld aan het fiasco. Men verkeerde in de greep van een collectief verlangen, men wilde het allerbeste voor zo min mogelijk geld. En als iedereen schuldig is, dan past het vingerwijzen niet.

Dan is eigenlijk niemand schuldig.

In plaats dat de Kamer weer eens een onderzoek start, en we maandenlang op het *Journaal* tegen zelfgenoegzame gezichten van politici moeten aankijken die het onder hun eigen ogen hebben laten gebeuren, zou ik liever de Kamer zelf eens onderzocht zien. Hoe goed zijn onze politici eigenlijk? Wat weet iemand als Duco er echt van, anders dan dat bij hem de zorgvuldigheid vooropstaat?

Het Fyra-fiasco lijkt deels veroorzaakt doordat de politiek zich blind voegde naar de waan van de dag: het moest op een koopje, uit naam van de belastingbetaler. De NS moeten zich handhaven op de vrije markt, maar worden behandeld als een staatsbedrijf.

Je zag het eerder bij de kwestie van de Bulgaarse toeslagenfraude: het was de Kamer die erop stond dat er meteen werd uitbetaald. Wég met die bureaucratische overheid. Alles om de kloof tussen burger en overheid te dichten. De controle kwam later wel, of helemaal niet – en toen we euforische Bulgaren met hun toeslagformulieren op televisie zagen zwaaien, was de Kamer ineens te klein.

Duco zegt: 'De hoofdvraag moet zijn, hoe heeft het zover kunnen komen?'

Nee, Duco, de hoofdvraag moet zijn, waarom laten jullie het steeds zover komen? De vraag moet zijn, waarom die vraag tegenwoordig vrijwel ieder jaar gesteld moet worden – of het nu gaat om het financieel stelsel, de woningcorporaties of het Fyra-fiasco. De vraag moet zijn: waarom is de politiek almaar bezig de waan van de vorige dag te onderzoeken?

En dan wijst de beschuldigende vinger uiteindelijk niet alleen naar semiprivate bestuurders die het te hoog in hun bol kregen, naar fraudeurs die zich aan alle controle wisten te onttrekken, naar ambtenaren die zich ondernemers waanden, maar ook naar een politiek die werkelijk begrip ontbeert, die er alleen op gebrand is elk signaal uit de samenleving onmiddellijk in beleid om te zetten, ongeacht de consequenties. En aangezien er iedere dag weer andere signalen klinken, moet er steeds weer ander beleid gemaakt worden.

Zo'n parlementaire enquête is geen weermiddel tegen de bestuurlijke malaise. Ze is er een symptoom van.

Duco? 'Het is daarom goed dat het kabinet zorgvuldig werkt aan een oplossing voor de toekomst, en het parlement haar zwaarste onderzoeksmiddel inzet om na te gaan wat hier mis is gegaan.'

Dode mus

Cultuurbeleid in Nederland: instituten worden geruimd, lege ideetjes ruim beloond. In Rotterdam had je het schandaal rondom het Stadsinitiatief – terwijl in die stad de ene na de andere culturele instelling wordt wegbezuinigd, werd vier ton toegekend aan een project om Rotterdam wereldwijd trending te maken op het internet. Dat was het bedrag dat overbleef toen bleek dat de winnaar (een ijsbaan) de tweeënhalf miljoen die beschikbaar was, niet helemaal nodig had.

Het budget moest op.

De bedenkers van RotterdamWorldWide zagen beleefd af van de subsidie. Door de commotie werd Rotterdam gratis en voor niks trending – alleen niet zoals het bedoeld was.

Maar de onderliggende gedachte van het Stadsinitiatief is nog springlevend. D66-wethouder Corrie Louwes: 'Het is een experiment om initiatieven en energie in de stad aan te boren, en het is een nieuwe manier van werken voor de gemeente. De Rotterdammers zijn aan zet, de overheid doet een stap terug en faciliteert de innovatieve en creatieve plannen van de bewoners van de stad.'

Sinds een tijdje is de politiek bevangen geraakt door de dynamiek van het mediatijdperk – je kunt beter leuke mediagenieke initiatieven steunen dan zorg dragen voor bestaande culturele instituten. Die instellingen zijn vaak log en weinig innovatief, en bovendien niet nieuw, zodat je er als bestuurder niet mee kunt pronken. Alles wat een geschiedenis heeft is niet van deze tijd.

Vluchtig is het nieuwe dynamisch.

Zo werd ook het Institut Néerlandais in Parijs gesloten. Bij zijn aantreden had de verantwoordelijke minister Timmermans nog verkondigd dat hij het besluit van zijn voorganger wilde terugdraaien. Een paar maanden later was het volgens dezelfde minister een zegen voor de Nederlandse cultuur in Frankrijk dat het instituut werd opgeheven.

Dat zie je overigens steeds bij de politicus Timmermans: moedige standvastigheid die vrijwel meteen daarna wordt ingeslikt. Zijn ferme taal over de Russische antihomowet had geen enkel gevolg voor de door handelsbelangen ingegeven festiviteiten in het Nederland-Rusland-jaar. In zijn voornemen om producten uit de bezette gebieden niet langer het etiket *Made in Israel* te laten voeren, werd hij schielijk teruggefloten. Toen Nederland onlangs een paar honderd miljoen extra voor Europa moest ophoesten, kondigde Timmermans aan zich er niet zomaar bij neer te zullen leggen. 'Dat geld zijn we kwijt,' constateerde zijn collega Dijsselbloem op vrijwel hetzelfde moment.

Timmermans wilde het elan terug in buitenlandpolitiek. Hij bleek minister van dode mussen.

'We moeten niet zo aan instellingen hechten. Het gaat om taken – niet om wie ze uitvoert,' verklaarde cultuurminister Jet Bussemaker in *de Volkskrant*. Dat is het nieuwe recept: je bezuinigt eerbiedwaardige instellingen weg en laat iemand anders hun taken er gewoon bij doen, dan is het net alsof je een nieuwe wind laat waaien. Je vernietigt de culturele infrastructuur uit naam van toverwoorden als 'professionalisering, efficiëntie en vernieuwing'. Dixit Timmermans.

Pas nadat Timmermans het Institut Néerlandais een doodschop had gegeven, liet hij onderzoeken hoe het verder moest met de Nederlandse cultuur in Frankrijk. In de podiumkunsten zijn alle achttien productiehuizen inmiddels geruimd, legde *de Volkskrant* Bussemaker voor. Daardoor is de schakel tussen opleiding en praktijk weggevaagd. De minister: 'Talentontwikkeling is inderdaad een probleem. Daarom wil ik de cultuurfondsen vragen om [...] programma's te ontwikkelen om de doorstroming van talent te bevorderen.'

Het paard achter de wagen spannen, heet dat.

Natuurlijk moeten stoffige, in zichzelf gekeerde instellingen hervormd worden. En er moest bezuinigd worden. Maar in Nederland wordt hervormen telkens opnieuw verward met kapotmaken.

Zo dreigde de ondergang van het Tropenmuseum. Negentig banen weg, bibliotheek dicht voor publiek, wellicht zelfs helemaal geruimd. Het museum was onderdeel van het Koninklijk Instituut voor de Tropen, dat zich in de toekomst volledig dienstbaar wil maken aan het bedrijfsleven. Dus moest het museum afgestoten worden. Het personeel kreeg een zwijgplicht opgelegd. Bussemaker: 'In mijn Museumbrief schrijf ik dat musea meer moeten gaan samenwerken. Het Tropenmuseum had dat al veel eerder kunnen en moeten doen.'

Wat irriteert, is niet zozeer die hautaine toon, maar dat die gepaard gaat met luidkeels beleden kunstliefde en verheffingsretoriek. Bussemaker: 'Met cultuur kun je niet lichtzinnig omgaan. Het is onze gedeelde geschiedenis en onze gedeelde identiteit. Dat moet je koesteren met name daar waar het kwetsbaar is.'

Dode mus.

•

Ik ben goed

Zelf had ik hem nog niet ingekeken, maar er is ophef over het Dikke Cadeauboek van speelgoedgigant Bart Smit. Volkomen seksistisch! Meisjes met speelgoedstofzuigers, strijkijzers en bezems onder de slogan: zo goed als mama zijn, dat wil je ook! Verderop: verzorg je baby als een echte mama! Bij al het speelgoed dat met techniek, sport en wetenschap te maken had, stonden foto's van jongens. Het kon echt niet. Op internet verschenen vergelijkbare pagina's uit de catalogus van een Zweedse Bart Smit waar de rolpatronen prettig door elkaar gehusseld waren. Blije jongens met een strijkbout. Lachende meisjes met een constructiehelm.

Het concern had dat bewust gedaan, las ik. In werkelijkheid spelen ook jongens met poppen en fornuizen – dus dat moest je kunnen terugzien in hun advertenties.

Daar moest ik even over nadenken. Volgens de Zweedse speelgoedfabrikant was het dus niet zo dat een foto van een blij jongetje met zwabber een keurig politiek correcte boodschap wilde uitstralen naar een maatschappij die zo ver nog niet was. Integendeel, die huishoudende jongetjes weerspiegelden juist de maatschappelijke realiteit.

Hoe zat het dan met het Dikke Cadeauboek van Bart Smit?

De ongelovige reacties in de sociale media deden me denken aan andere ophef – allereerst aan René van der Gijp, stem van de volkse rede, die in het programma *Voetbal International* de inspanningen van de KNVB om het voetbal homovriendelijker te maken weghoonde met de constatering dat voetballen niks voor homo's was en je ze in die sport dan ook niet zou aantreffen.

Dat kon je uitleggen als een realitycheck – de samenleving voegt zich nu eenmaal niet naar onze wensgedachten. Alleen jammer dat 'Gijp' daarna zelf op de proppen kwam met een stroom oudbakken vooroordelen over homo's, die afkomstig leken uit de tijd dat het COC nog moest worden opgericht. Hij kreeg ruim bijval van de mannen aan zijn borreltafel. Je begreep meteen waarom homo's niet op voetbal willen. Ik begreep waarom ik na vijf minuten Johan Derksen altijd even een douche wil nemen.

Achteraf bleek Gijp zich van geen kwaad bewust – als iemand tolerant was, dan was hij het wel.

En dan was er Henk Lubberding. De commentator van de NOS had de zwarte Europcar-renner Kévin Rza als 'dat negertje' aangeduid en in dezelfde zin zijn verbazing uitgesproken over zwarte wielrenners: 'Verbazingwekkend dat die al een fiets kunnen rijden.' Later bood hij excuses aan, maar ook hij was zich van geen kwaad bewust: 'Ik zou niet weten hoe ik het anders had kunnen verwoorden.' Hij was 'nu eenmaal Henk Lubberding en ik beschrijf het zoals ik het zie'.

Ook hier weer een zogenaamde correctie op het politiek correcte denken – er zijn weinig zwarte wielrenners, waarom zou je doen alsof dat wel zo is? – maar een correctie die gepaard gaat met vooroordelen uit de tijd dat schedelmeten populair was.

Lubberding verwijt zichzelf niks, en Gijp ook niet – Nederlanders staan altijd aan de goede kant. Wanneer je iets voorstaat, betekent dat nog niet dat je ernaar moet handelen. Kom zeg – ik ben goed. Dat geldt voor de CEO die een groot voorstander is van vrouwen op hoge posities, maar daar in zijn eigen bedrijf nauwelijks werk van maakt. Dat geldt voor grootschalige jongerenfestivals die een pluriforme samenleving voorstaan, maar zelf jaar in jaar uit – heel gek – hagelwit blijven.

Dat geldt voor Geert Wilders, die zich op de principes van de Verlichting blijft beroepen tegen de duistere kanten van de islam en zich tegelijk onbekommerd lieert aan Vlaams Belang en Front National, erflaters van het antiverlichtingsdenken. Hij doet maar, maar wie dit beestje bij de naam noemt, zoals het afgetreden Haagse PVV-raadslid Paul ter Linden, wordt het doelwit van de agressie van mensen met een kwaad geweten. Wilders is iedere vorm van discriminatie, uitsluiting, haatzaaierij vreemd. Hij zegt het immers zelf.

De zweeftaal van het politiek correcte denken wordt in dit land nu al een decennium gecorrigeerd door mensen die dingen gewoon bij de naam durven noemen, die het 'gewoon beschrijven' zoals ze het zien. Dus leven we na een dikke eeuw van emancipatiebewegingen gewoon weer in een land waar alle meisjes dromen van een stofzuiger, waar we verbaasd zijn als negertjes kunnen fietsen, waar homo's van nature voorbestemd zijn voor de kapsalon en ieder idioot vooroordeel als een bewijs van hogere realiteitszin wordt beschouwd.

En intussen hebben we, denk ik, bladerend in het Dikke Cadeauboek van Bart Smit, hopeloos de boot gemist.

Antipolitiek

In het BBC-programma *Newsnight* interviewde Jeremy Paxman de populaire komiek Russell Brand. Bekijk dat gesprek eens en vergelijk het dan met het optreden van PvdA-leider Diederik Samsom in dezelfde week in *Buitenhof*. Vrij snel ben je, denk ik, bij de kern van het probleem.

Eerst de antipolitiek. Paxman vs Brand bleek een sensatie. Op YouTube alleen al trok het interview zo'n negen miljoen kijkers. Aanleiding: Brand is deze maand gastredacteur voor het politieke tijdschrift *The New Statesman*, waarin hij hard van leer trekt tegen het Britse politieke establishment. Tijdens zijn gesprek met Paxman is de smetvrees van de laatste bijna tastbaar. De interviewer zit nadrukkelijk sceptisch te wezen tegenover een ijdele komiek die oproept tot opstand en een heel politiek systeem afschrijft – terwijl hij toegeeft nog nooit in zijn leven gestemd te hebben.

Je ziet het Paxman denken: hier hebben we de zoveelste outsider die zich uit naam van zijn grootse ideeën tegen de huidige politiek keert, terwijl hij te beroerd is zijn handen uit zijn mouwen te steken. Brand is links – dus laat de huidige politiek het volgens hem afweten wanneer het gaat over de groeiende kloof tussen arm en rijk, de roofbouw op onze planeet en de noden van de gewone man. Wanneer Brand, stelt hij, een politicus in de 'Westminster-stijl' over politieke zaken hoort praten, voelt hij een 'dull thud' in zijn maag. Zijn litanie is verder bekend. Men is in de politiek meer met elkaar bezig dan met grote kwesties. Men behartigt de belangen van weinigen en ten koste van die van velen. Men is niet in staat de grote kwesties aan te pakken. Ten slotte: een totaal gebrek aan visie.

In het mediatijdperk is bevlogenheid allang onderdeel van de celebritycultuur; wat telt is het gebaar, niet wat je doet. Engagement als accessoire. Dat verklaart de scepsis van Paxman, en die van de vele critici van Brand in de sociale media. Wanneer je oproept tot radicale verandering zonder dat je zelfs de moeite neemt je stem uit te brengen, doe je niets anders dan wat populistisch rechts wordt verweten. Je exploiteert emotie.

De oproep van Brand tot verandering zal volgens sceptici dan ook geen enkele verandering teweegbrengen. Het zal hoogstens de kaartverkoop van zijn show gestimuleerd hebben, toepasselijk *The Messiah Complex* geheten.

Ideeën zonder praktische invulling – bij *Buitenhof* was precies het omgekeerde te zien. De voormalige activist Samsom – veel van wat Brand vorige week zei, zei Samsom een paar jaar geleden ook – beantwoordt nu vrijwel geheel aan het beeld dat Brand van de huidige generatie politici schetst: volledig in beslag genomen door het politieke spel, voortdurend bezig compromissen uit te leggen, doodsbang voor uitglijders, altijd de peilingen in het achterhoofd, zijn boodschap op een fatale manier aangetast door spin.

Nederland uit deze crisis halen, Nederland uit deze crisis halen. En niet te vergeten, Nederland uit deze crisis halen.

Het werkt niet. Je ziet een manische politieke handigheid, maar je vraagt je af welk resultaat ermee wordt beoogd. Als kijker voelde ik tijdens *Buitenhof* dezelfde 'dull thud' waar Brand het over heeft. Haalbaarheid is normaal gezien het eindpunt van politieke bevlogenheid. Bij de politicus Samsom lijkt het allang het uitgangspunt.

Je kunt dat verdedigen tegenover de celebrity-agitprop van Brand. Hier is een man die tenminste niet te beroerd is om verantwoordelijkheid te nemen, die zijn vrij zwevend idealisme wel handen en voeten wil geven in een politieke werkelijkheid van processen en procedures. De verschillende akkoorden worden weliswaar steeds opnieuw aangepast, ze zijn maar wel mooi gesloten. Liever een halve centimeter vooruit, dan eeuwig geëngageerd luchtfietsen.

Het probleem is alleen dat de procedure allang voor de passie gaat – en dat de passie steeds meer gespeeld lijkt. Wat is het dat dit veroorzaakt? Wat maakt zo veel politici tegenwoordig zo wezenloos? De politieke hartstocht die de fans van een zijlijnroeper als Brand zo'n kick geeft, lijkt bij Samsom nu volledig gedomesticeerd door het Haagse bedrijf – de Nederlandse equivalent van de Westminster-stijl die door Brand zo verafschuwd wordt.

De groeiende afkeer van politiek wordt vaak gezien als een probleem van representativiteit. Wanneer gewone burgers nu maar een aandeel hebben in het politieke bedrijf, dan komt het wel goed. Eh, deels. Het voorbeeld van Brand en Samsom laat zien dat het dieper zit – de kiezer mist in de politiek overtuiging. Daar heeft Russell Brand volkomen gelijk in.

•

Potentie

De taal van de ambtenaar is ook niet meer wat ze is geweest – moest je vroeger in beleidsnota's tussen formele zinswendingen naar betekenis zoeken, tegenwoordig waait de geest van Ben Tiggelaar door de ministeries. Er is geen geld, maar woorden kosten niets. In de beleidsbrief *Cultuur beweegt* van minister Jet Bussemaker heerst de wilde dynamiek van de peptalk: potentie, veerkracht, creativiteit, innovatie, inspiratie, bezieling. De minister: 'Ik zet in op een cultuurbeleid dat de samenleving raakt en in beweging brengt.'

Wow. En dat allemaal in de week dat bekend werd dat de bibliotheekcollectie van het Tropeninstituut – 400.000 boeken, 20.000 tijdschriften – die door de bezuinigingen in de papierversnipperaar gestopt dreigde te worden, op het nippertje gered werd – door Egypte. De vermaarde Biblioteca Alexandrina is bereid de collectie over te nemen en toegankelijk te houden voor onderzoek.

Wij hadden het ook graag gedaan. Maar wij zijn een arm land.

Heel die nota van Bussemaker ademt de geest van het artistieke kapitalisme. Dat woord heb ik van de Franse sociologen Gilles Lipovetsky en Jean Serroy. In hun boek *L'esthétisation du monde. Vivre à l'âge du capitalisme artiste* leggen ze uit hoe het kapitalisme de afgelopen decennia kunstzinnig is geworden – na goederen en diensten, worden nu steeds vaker emoties, ervaringen, sensaties verkocht. Vormgeving, in alle betekenissen van dat woord, is belangrijker dan ooit. Meer dan voorheen worden nadrukkelijk gestileerde producten op hun gevoelswaarde verkocht. In plaats van gebruiksgoederen zijn het steeds meer esthetische objecten. De iPhone 6 heeft voor veel mensen dan ook een grotere emotionele waarde dan een expositie in de galerie om de hoek.

Maar zoals de kunst steeds verder in de economie is doorgedrongen, zo heerst de economie ook steeds meer over kunst. Lipovetsky en Serroy laten zien hoe de geest van de calculatie zich meester heeft gemaakt van de spektakeltentoonstellingen, het museum als creatieve onderneming, de formulefilm als winstmachine, en natuurlijk de speculatieve kunsthandel. Dat lijkt winst, vanwege het grote bereik, maar de auteurs wijzen erop dat in een massacultuur de kunst eerder verschraalt – het zijn de toppers die alle aandacht krijgen, de bestseller, de topkunst, de blockbuster.

Kunst moet in het tijdperk van het artistieke kapitalisme vooral bedrijfsmatig worden behandeld. Het idee van de kunst als een maatschappelijk laboratorium, als middel om menselijke ervaringen te verkennen die niet meteen in harde cijfers te vertalen zijn, qua ondernemerschap of publieksbereik, kan in de versnipperaar. Niet voor niets duikt het woord 'ondernemerschap' zo vaak op in zo'n Bussemaker-nota.

Het is precies die taal die ook al jaren gesproken wordt in de grote onderwijsinstellingen. Geslaagd ondernemerschap betekent in die taal hetzelfde als maatschappelijk relevant. Aan de universiteiten begint het te dagen dat door de wetenschap zuiver instrumenteel op te vatten, je het idee van wetenschap zelf uitholt en een generatie wetenschappers kweekt die zich als bankiers gedragen – gevoelig voor perverse prikkels als subsidies bij gehaalde quota's, kwantiteit voor kwaliteit, vergaande horigheid aan het bedrijfsleven.

Natuurlijk, instituten die over zaken als kennis en cultuur gaan kunnen best wat zakelijker, dat is genoeg vastgesteld, ook door mij. Niet met je rug naar de samenleving, jongens! Maar dat is iets anders dan kennis, cultuur, kunst zélf volkomen verzakelijken.

Cultuur beweegt ademt dezelfde geest als die van het onderwijsbeleid. Aansluiting bij de samenleving staat voorop. Klinkt mooi, wie wil het niet, maar die aansluiting wordt vooral gezocht in de samenwerking van vormgevers bij het bedrijfsleven – een dynamiek die nauwelijks door de overheid gestimuleerd hoeft te worden, omdat, zoals Lipovetsky en Serroy laten zien, vormgevers in de huidige vorm van kapitalisme al de tijd van hun leven hebben. Verder is er vooral de neiging om te ondersteunen wat al succesvol is en wat in het buitenland scoort.

Ondersteund wordt vooral wat zich bewezen heeft. Daarmee zit ook het kunstbeleid nu volledig in de lijn van de overheidsbemoeienis met wetenschap en ontwikkelingshulp: er wordt afgerekend in economische termen.

De Amerikaan Matt Steinglass, correspondent voor de *Financial*

Times, noemde Bussemaker op Twitter: 'NL's nieuwe cultuurpolitieke genie. Als je het commercieel goed doet, krijg je meer subsidie. Als je subsidie nodig hebt, krijg je die niet.'

Het enige restant van het oude sociaaldemocratische verheffingsideaal in *Cultuur beweegt* is de nadruk op cultuureducatie. Daar zet de minister stevig op in. Wat ze die scholieren gaat bijbrengen? 'Creativiteit en innovatie zijn voorwaarden voor de verdere groei van onze kennissamenleving.'

•

Monster

Taal voor gelovigen: tijdens de persconferentie die Marine Le Pen en Geert Wilders gaven om hun samenwerking in Europees verband aan te kondigen, sprak de laatste van een 'historische dag'. Een nieuwe dageraad naakte: 'De bevrijding van de elite van Europa begint vandaag. De bevrijding van het monster uit Europa.' Le Pen zag de samenwerking als een nieuw verbond van 'patriotten'.

Historisch, bevrijding, monster, patriotten, soevereiniteit – de taal van de romantiek zindert door postmodern ultrarechts. We zijn terug in de vroege negentiende eeuw. Tegenover de kleurloze beleidstaal en onmachtige peptalk van het politieke establishment (mensen willen helemaal geen politicus met een visie! Koop een nieuwe auto!) ronkt de uitzinnige retoriek van de revolte. Brave mensen met brave levens zien zichzelf plotseling zwaaien met de geuzenvlag.

De aantrekkingskracht is enorm: ook het overambitieuze VVD-Kamerlid Mark Verheijen probeerde mee te liften door 'eurofielen' gevaarlijker te noemen dan politici als Le Pen. Hij werd meteen gedwongen excuses te maken – weg heldhaftigheid. De ontspoorde blogger Joost Niemöller verklaarde op de site van *de Volkskrant* dat hij tranen in zijn ogen kreeg wanneer hij Le Pen hoorde spreken. De ontmoeting van zijn held Wilders met Le Pen was, u raadt het, 'een historisch moment'.

De vlag. Het volk. Het vaderland.

Ook het racisme beleeft een nostalgische terugval naar de negentiende eeuw. De reactie tegen het politiek correcte denken kwam voort uit het vaak terechte gevoel dat de dingen niet bij de naam genoemd konden worden. Nu het politiek correcte denken is afgeschaft, worden zwarte ministers gewoon weer met apen vergeleken – door politici van Lega Nord en de partij van Marine Le Pen. Wat zich voorheen vooral ophield in de emotionele enclave van het voetbalstadion, begint ook politiek weer aantrekkelijk te worden. De zwartepietendiscussie in ons land is in de sociale media ontaard in een orgie van haat.

Toen het nieuwe populisme meer dan tien jaar geleden – het begon in Oostenrijk – de kop opstak, was de eerste, simplistische reactie in de omringende landen: de bruinhemden marcheren weer. Later moest men onder ogen zien dat het juist om een modern fenomeen ging, veroorzaakt door globalisering en de bijbehorende effecten van immigratie. Cultuur, geschiedenis, volk – in de ogen van de wegbereiders van een verenigde mensheid waren dat allemaal gevaarlijke, maar gelukkig gepasseerde stations. Die ouderwetse begrippen zijn in de mediacultuur (van *Trots op Nederland* naar *Ik hou van Holland*) niet alleen weer springlevend – ze hebben ook een groot deel van het gevoelsleven van de natie geannexeerd. Na zeven seizoenen *Boer zoekt vrouw* moet je niet verbaasd zijn als een halve bevolking *mental* wordt over een bedreigde Zwarte Piet.

Dat is het probleem: de zorg voor de multiculturele, pluriforme samenleving is sinds jaar en dag in handen van beleidsmakers en onthechte academici, terwijl ondertussen in de populaire cultuur het sentiment van de herwonnen eigenheid kon opbloeien.

Het zijn gescheiden werelden en de kloof ertussenin wordt steeds groter. Uit de commentaren rijst het beeld op van rustige, redelijke mensen aan de ene, en woedende, totaal onredelijke mensen aan de andere kant, die bovendien met vuur spelen. Zo kun je het zien, maar dan moet je wel tegelijk vaststellen dat de gedreven- en bevlogenheid, de emotie zeg maar, toch vrijwel helemaal aan de kant van de opstandigen zit. Wilders is de enige politicus in wie veel van zijn kiezers geloven. De taal van de bedachtzaamheid is helaas ook vaak tergend bloedeloos.

PvdA-minister Lodewijk Asscher reageerde ook bedachtzaam toen hij gevraagd werd naar de samenwerking van Wilders met Le Pen. Wilders was vrij om te doen wat hij wilde, zei de minister, maar het gaf te denken dat hij zich inliet met een partij waarvan de voormalige leider – et cetera. Dat is de strategie, in een bijzin suggereren dat Wilders inderdaad hard op weg is om, in zijn eigen woorden, een 'halve nazi' te worden, zonder er de afgetrapte antifascistische retoriek op los te laten – zonder, zeg maar, met het dagboek van Anne Frank te zwaaien.

De vraag is of dat genoeg is. Wilders en zijn PVV hebben hun eigen problemen en ongetwijfeld hoopt men dat zijn electoraat op een dag van zijn geloof valt. Maar je zou willen dat een politicus als Asscher inziet dat er meer nodig is. Wil je het ideaal van een pluriforme, op de wereld gerichte samenleving nieuw leven inblazen, dan moet je allereerst de emotie terugwinnen.

•

Vergezicht

Goed idee van PvdA-voorzitter Spekman om Ad Melkert te vragen een onderzoek te doen naar 'linkse oplossingen' voor de crisis. De afgelopen decennia is de burger immers verworden tot een optel- en aftreksom. Alle immateriële dromen en verlangens over mens en maatschappij zijn door het populisme op de flanken gekaapt. Tijd voor het nieuwe verhaal. De homo economicus moet weer gehumaniseerd worden; er moet aandacht zijn voor dat subtiele weefsel dat we een samenleving noemen. Melkert, geïnterviewd in *NRC Handelsblad*: 'Wat er in je dagelijkse leven gebeurt heeft invloed op je werk. Je kunt het niet kwantificeren, maar we moeten er wel wat mee.' Eigenlijk is het heel simpel: 'De economische orde moet weer dienstbaar zijn aan maatschappelijke doelstellingen, in plaats van andersom.'

Vinger omhoog als je het ermee eens bent. Hé, *iedereen*?

Ik gun Melkert zijn opdracht, zeker gezien de agressie die zijn 'terugkeer' losmaakt bij mensen die het nog steeds niet kunnen verkroppen dat hij in 2002 vies naar Pim heeft gekeken – dezelfde mensen die nog steeds niet kunnen slapen van de ontploffende Exotaflessen van Marcel van Dam. Hoe leeg kan een leven zijn. Maar als ik me niet vergis is de koers die Melkert bepleit, nu juist die koers die de PvdA de afgelopen jaren grotendeels verlaten heeft, zeker in het huidige kabinet.

Een verhaal is niet zo moeilijk. Een geloofwaardig verhaal wel.

Het probleem met de PvdA is dat die partij zelf symptoom is geworden van de crisis. Dat geldt zeker ook voor andere partijen, maar in geen andere partij zie je zo mooi verbeeld waar het aan schort – het glanzende ideaal tegenover de al te menselijke praktijk. Dat is altijd zo in de politiek, maar problematisch wordt het wanneer de praktijk zich rechtstreeks tegen het ideaal keert. Neem wat PvdA-schandaaltjes – stuk voor stuk klein bier, maar ze hebben een grote resonans.

Juist in een tijd waarin het draagvlak voor Europa verstevigd moet worden, waarin een nieuw elan gevraagd wordt om de doodgebloede Europese gedachte nieuw leven in te blazen, rolden de Europarlementariërs van de PvdA vechtend over straat. De sfeer in de fractie bleek niet te harden – de solidariteit die van de kiezer gevraagd wordt, bleek intern ver te zoeken. Het was ego tegen ego. De rechter moest eraan te pas komen.

Juist in een tijd waarin er om nieuw elan gevraagd wordt om het ideaal van een tolerante, pluriforme samenleving weer geloofwaardig te maken, bleek Seyit Yeyden, de gewezen PvdA-voorzitter van de Rotterdamse deelgemeente Feijenoord, die moest aftreden na een vernietigend rapport waarin hij beschuldigd werd van vriendjespolitiek richting Turkse organisaties en politieke intimidatie, gewoon weer op de conceptkieslijst van de 'gebiedscommissie' van de deelgemeente te staan. Huh? Volgens de kandidatencommissie had Yeyden in de tussenliggende vier maanden 'het nodige geleerd'.

Ook werd in de gemeente Noordoostpolder de PvdA-wethouder Wouter Ruifrok naar huis gestuurd, omdat hij in de afwikkeling van een lokaal renovatiefiasco informatie aan de raad had onthouden. Eerder kwam dezelfde wethouder al in het nieuws omdat hij zich op kosten van de gemeente ingeschreven had voor de cursus 'Mijn gevoel voor realiteit'. Die cursus had als doel 'persoonlijke ontplooiing voor managers' en kostte tienduizend euro.

Juist in een tijd waarin mensen al genoeg persoonlijk ontplooid zijn, juist in een tijd waarin de managerspraat de relatie tussen burger en overheid danig verziekt heeft, juist in een tijd waarin er een felle reactie is tegen de egocultuur binnen overheid en semioverheid, gaat de wethouder op cursus.

Woede over dit soort incidenten wordt in weldenkende kringen te snel afgedaan als stemmingmakerij – in iedere mand zit immers wel een rotte appel. Populisme! Eén opgeblazen incident zegt niets over het geheel. Voor je het weet maak je deel uit van de jankende meute die alle politici als oplichters en zakkenvullers ziet – en heus, dat is niet zo, er wordt veel zinnig en goed werk verricht.

Maar dat is het punt helemaal niet. In deze kleine kwesties zitten grote zaken verborgen – Europa, de samenleving van de toekomst, de relatie tussen overheid en burger. Genoemde incidenten hebben gemeen dat bestuurders de publieke zaak ontrouw zijn, waardoor het achterliggende ideaal gecorrumpeerd wordt. Het weefsel wordt erdoor aangetast. En juist dat is geen klein bier. Dat is een vertrouwenscrisis.

Het rapport van Melkert, meldt de *NRC*, vormt de basis van het verkiezingsprogramma van de PvdA. Heel goed, een vergezicht. Nu het inzicht nog.

•

Mens

Was Nelson Mandela de laatste humanistische held? In de commentaren op zijn overlijden, dweperig en iets minder dweperig, klinken de grote woorden vreemd losgezongen: morele leider, inspirerende vrijheidsstrijder, Ons Betere Ik, stralend licht, groot hart, zoon, vader, heilige, held. Is er nog een mens op deze aarde waarover in zulke termen gesproken kan worden? Naast ontzag klonk in de loftuitingen onmiskenbaar weemoed door, alsof met de man ook iets anders verloren gaat. Alsof tegelijk met de 95-jarige Zuid-Afrikaan een heel wereldbeeld ten grave wordt gedragen.

Welk wereldbeeld? De overtuiging dat je mensen hun onderlinge geschillen kunt laten overstijgen door een beroep te doen op hun gedeelde menselijkheid, de notie dat diepe wonden alleen kunnen helen door verzoening en vergiffenis, het geloof, kortom, in het goede in de mens (wat iets anders is dan het geloof dat de mens goed is).

Je kunt inderdaad niet beweren dat dit gedachtegoed bezig is aan een triomftocht over de wereld.

We willen erin geloven, maar geloven we het nog?

In veel commentaren werd Mandela voorgesteld als een man hors catégorie, een lichtend voorbeeld voor ons allen, maar van een moreel kaliber dat voor de meesten van ons onhaalbaar is. *De Volkskrant*: 'Een van ons, zoals hij het zelf graag deed voorkomen, maar toch net iets groter dan wij allemaal.'

Het probleem met humanisme is dat het zo gemakkelijk rooskleurig kan worden. Geef elkaar een hand en samen zingen we voor een betere wereld. Anders gezegd: kitsch. Iets wat met de mond wordt beleden, maar op geen enkele manier meer zijn beslag in de werkelijkheid krijgt.

Mandela dankt zijn heiligenstatus aan het feit dat hij van zijn humanisme werkelijk politiek heeft gemaakt.

Maar wie eerlijk is, moet erkennen dat in Nederland een heftige reactie aan de gang is tegen alles waar hij voor staat. Geen politicus hier die de samenleving met hartstocht voorstelt als een gemeenschap waarin mensen wederzijds van elkaar afhankelijk zijn. Op benoemen volgt hier nooit verzoenen. Onmogelijk om hier boven de partijen te staan. Wie waagt het tegenstellingen te overbruggen door een beroep op onze goede wil?

Er is bar weinig elan voor mensenrechten. VNO-voorzitter Bernard Wientjes: 'Nederland moet een toontje lager zingen.' Willen we uit de crisis komen, aldus Wientjes, dan moeten we iedere poging tot ethiek in het buitenlandbeleid verder vergeten. Niet omdat zulk idealisme onhaalbaar is, maar omdat het bedrijven geld kost. Er klonk geen protest. En er is nog nauwelijks draagvlak voor ontwikkelingshulp. Er is geen vitaal geloof in een pluriforme samenleving.

Als Mandela werkelijk een voorbeeld voor ons allen is, dan is er ergens iets wanhopig misgegaan.

De tegengeluiden zijn weinig assertief, meestal bangig en bedeesd. Er zijn genoeg organisaties die vanuit humanistische principes handelen, maar ze bevinden zich al jaren in het defensief. Bij de actie voor de slachtoffers van een orkaan op de Filippijnen gaf ruim twee derde van de Nederlanders aan niks te geven, omdat het geld toch niet goed terecht zou komen. Toen de populaire zanger Nick van Nick en Simon zijn fans opriep massaal het goede doel te steunen, werd hij overstelpt door haatmail – alsof het in Nederland geen crisis was! Nick moet zich het leed van Volendam aantrekken, niet dat van de wereld.

Tegelijkertijd lekte het nieuws uit dat de huidige paus, Franciscus, 's nachts gekleed als gewoon priester in Rome aalmoezen uitdeelt aan dakloze mannen en vrouwen. Het Vaticaan ontkende, maar volgens de nieuwsbron hebben wachters van de Zwitserse Garde het bericht bevestigd. Eerder al waste en kuste de paus voeten van ontheemde immigranten en knuffelde hij op het plein van het Vaticaan een ernstig mismaakte man. Vervolgens sprak hij tegen bisschoppen zijn zorg uit over het groeiend aantal armen in Nederland – 'een land dat in menig opzicht rijk is'.

Katholieke kitsch? Sentimenteel symbolisme? Wordt de wereld hier beter van? Ook ik ben doordrongen van scepsis, vervuld van argwaan jegens dit soort gebaren. Toch is deze paus er in korte tijd in geslaagd een eenvoudig soort goedertierenheid uit te dragen, dat bij zijn voorgangers ontbrak.

Het humanisme moet altijd laveren tussen de mens zoals hij is en de mens zoals hij wil zijn. Wie het eerste uit het oog verliest, wordt sentimenteel. Wie enkel nog maar het eerste ziet, wordt cynisch. Dat laatste lijkt me het grootste kwaad.

•

Schandaal

Het was een schandaal, maar niemand wist precies waarom – terwijl de crisis rond het burgemeesterschap van Onno Hoes almaar groter werd, verschenen in de beschaafde media ongemakkelijke analyses, met koppen als 'Waarom maken wij ons druk over...?' en 'Hoe een kus in een hotelbar uitgroeide tot de mediarel Onno-gate'. Met andere woorden, wij maken ons vooral druk over dat we er ons druk over moeten maken. Dat een burgemeester moet aftreden omdat hij in het openbaar gezoend heeft, dat moeten we niet willen – en toch dreigde het te gebeuren.

Waarom? Er moest een reden zijn. De kranten maakten een rondje duiding langs hoogleraren, die hun hersenen pijnigden om het schandaal van een verklarende analyse te voorzien – iets over beeldvorming en imago in het tijdperk van de totale zichtbaarheid. Lastige vragen dienden zich aan. Valt een halfnaakte foto op de seksapp Grindr (in het brave *NRC Handelsblad* steeds homodatingsite genoemd) onder privé of publiek? Sommigen zagen er een nieuwe fatsoensrakkerij in, naar Amerikaans puriteins voorbeeld – die door de achterdeur van de commerciële televisie ons land dreigde te veroveren. Een ander bespeurde een antihomoseksuele agenda. Onze vrijheden stonden op het spel.

De meest voor de hand liggende verklaring raakte zo een beetje op de achtergrond: dat het een schandaal om het schandaal was. Omdat het gedrag van Hoes publiekelijk werd afgestraft, ging men er steeds maar van uit dat de hele zaak een maatschappelijke betekenis moest hebben – anders gezegd, alsof Evert Santegoeds en Patty Brard e tutti quanti vanuit een overtuiging te werk gingen.

Zo werkt het allang niet meer. De Nederlandse publieke moraal is als een tank vol haaien – er is niks aan de hand, zolang ze je bloed maar niet ruiken. Maar wie een beetje bloedt, wordt vrolijk aan stukken gescheurd – met geen ander motief dan het intense genoegen een prooi onmachtig te zien spartelen. Albert Verlinde weet er alles van. Met moraal heeft het niks te maken. Het is publieke vernedering. Gewoon, omdat het kan.

Het meest veelzeggend in deze affaire was de beteuterde uitdrukking op het gefiguurzaagde gezicht van Patty Brard in *Show Laat* van SBS, toen medepresentator Beau van Erven Dorens zich zichtbaar opgelucht toonde dat Hoes nog niet hoefde af te treden; zijzelf was graag nog even doorgegaan. In een eerder stadium was ze immers 'helemaal naar Maastricht afgereisd' om de toyboy in kwestie te interviewen. Patty: 'Ik denk dat er vanavond bij *Show Laat* geen lijken uit de kast vallen, maar dat heel Zorgvliet naar beneden komt.'

Juist de complete afwezigheid van iedere moraal en schaamte geeft Patty haar blijvende aantrekkingskracht voor haar publiek. In een interview in *HP/De Tijd* verklaarde ze dat ze de door scrupules gehinderde Beau er voortdurend aan moest herinneren dat ze geen *Nieuwsuur* aan het maken waren.

Maar nu ineens bepaalt *Show Laat* de inhoud van *Nieuwsuur*. Het is de dynamiek van de haaientank – als er bloed vloeit, kun je er ook als serieus medium niet meer omheen. Precies dat is de beproefde methode van Geert Wilders, die het weer eens probeerde met anti-islamstickers, waarop tegen de achtergrond van de Saoedische vlag in het Arabisch wordt gesteld dat de islam een leugen, Mohammed een boef en de Koran gif is. En maar hopen dat er iemand woedend aanslaat, het politiek correcte establishment met een verwijzing naar de nazi's, een Saoedische hoogwaardigheidsbekleder met een boycot of banvloek of anders een van die gevaarlijk verdwaalde radikalinski's, altijd goed voor een doodsbedreiging. Op dat moment wordt Wilders van dader weer slachtoffer en kan niemand meer om het schandaal heen – al zou je het nog zo graag willen. Blijft zo'n reactie uit, dan is de actie mislukt.

Je zag de kramp bij de reagerende ministers. Als je te fel van leer trekt doe je precies wat Wilders wil. Maar je schouders ophalen over iemand die er slechts op uit is om pijn te doen, is ook geen antwoord. Negeren is geen optie.

Wilders en Brard kunnen elkaar een hand geven. Ook hier schandaal om het schandaal – Wilders' verklaring voor de camera dat hij niet wilde provoceren maar juist moslims wilde bevrijden van een kwalijke ideologie et cetera, overtreft Patty Brards fatsoenspraatjes in lachwekkendheid. Het is ook niet de bedoeling dat mensen dat geloven. Het dient enkel als excuus.

Ook hier dient de morele overtuiging enkel als schaamlap. De nieuwe moraal is: wie bloed ruikt, mag bijten.

•

Little Brother

Zelf krijg ik er een ongemakkelijk gevoel bij, maar het schijnt al heel gewoon te zijn: klanten van elektronicazaken als Dixons, Mycom en iCentre onderscheppen het wifisignaal van hun klanten, zodat zij kunnen zien wanneer zij een filiaal bezoeken en wat zij daar doen. Ook wordt er op deze manier gekeken hoe druk het op straat is en welk deel van het publiek zich laat verleiden tot een bezoekje. Met schenden van privacy heeft het niets te maken, stelde een woordvoerder van het concern waartoe Dixons en Mycom behoren: 'We slaan niets op, we vangen alleen tijdelijke radiosignalen op.' In het buitenland wordt deze techniek al veelvuldig gebruikt, zuiver voor commerciële doeleinden. Hier wordt nog wat gemiept over privacy. Maar daar gaat het het bedrijf helemaal niet om. De woordvoerder: 'Als er grote omzetverschillen zijn in filialen die verder ongeveer gelijk zijn, kunnen we onderzoeken wat daarvan de oorzaak is.'

Little Brother.

Na de spectaculaire onthullingen van Edward Snowden over overheden die hun burgers als potentiële verdachten in de gaten houden, ging het steeds over het schenden van de privésfeer. De woordvoerder van Dixons onthult iets anders: het besef van het bestaan van een privésfeer lijkt nagenoeg verdwenen. Wat privé is, is tenslotte ook publiek – de eenzame alcoholist die zich dood drinkt, drukt immers op onze voorzieningen, de toerist die vreemde stempels in zijn paspoort heeft staan, zou een gevaar voor onze veiligheid kunnen zijn, de stiekeme hoerenloper is onderdeel van een hardnekkig sociaal probleem. Uit naam van de publieke zaak – gezondheid, veiligheid, leefbaarheid – wordt steeds dieper ingegrepen in wat ooit van jou alleen was. Ook de commercie heeft de beste bedoelingen – men wil de zaken van Dixons en soortgenoten alleen maar nóg klantvriendelijker maken, de behoeften van de consument nóg gerichter tegemoetkomen. Dat ik als klant niet zou willen dat men kan zien wanneer ik een Dixons binnenwandel – waarom zou ik dat niet willen? Wat heb ik te verbergen?

Intussen is de burger allang van subject tot object geworden – iemand die dag en nacht van alle kanten bekeken, gevolgd, genudged en gemanipuleerd kan worden. De droom van de digitale vrijheid, ooit uitgedragen door gelovigen als Negroponte, is vervlogen. Als de burger niet uit zichzelf tot sociaal wenselijk gedrag komt, moet hij subtiel tot sociaal wenselijk gedrag gebracht worden; als hij geen gevaar voor de veiligheid is, dan kan hij er toch geen bezwaar tegen hebben dat de overheid zijn gangen nagaat? En sociale netwerken – niet naïef zijn – zijn in de eerste plaats commerciële netwerken, dus juist waar de burger het meest sociaal is, is hij commercieel het best te manipuleren – één druk op de knop en je kent zijn voorkeuren, zijn hobby's, zijn verslavingen. Onder de huid van de klant, dichterbij kun je niet komen. Waarom daarop niet ingespeeld, als het gewoon aan zijn behoeften beantwoordt?

In zijn toespraak over het NSA-schandaal stelde president Obama onder meer dat de technologie zich nu zo snel ontwikkelt, dat de bijbehorende wetgeving er altijd hopeloos achteraan hobbelt. Dat is het zwakste excuus dat ik in jaren heb gehoord; de deceptie van het NSA-schandaal heeft de inzet van Obama's presidentschap ongeloofwaardig gemaakt. Je kunt geen nieuw vertrouwen in de overheid verwachten wanneer de overheid in een permanente staat van wantrouwen ten opzichte van haar eigen burgers verkeert.

Toen Edward Snowden met zijn onthullingen kwam, schoten de commentaren extreem verschillende kanten op: hij was een held, omdat hij liet zien hoe de staat zich tegen zijn eigen burgers keert, hij was een verrader omdat hij weigerde te erkennen dat geheime diensten nu eenmaal geheime dingen doen. Zijn onthullingen werden vaak op één hoop gegooid met die van Julian Assange – een misverstand, lijkt me. Assange is een transparantie-Messias, die vindt dat alles in de wereld openbaar en doorzichtig moet zijn, wat onmogelijk en dus gevaarlijk is. Snowden komt juist op voor het recht op privacy. Tijdens zijn 'kersttoespraak' zei hij: 'Een kind dat vandaag wordt geboren zal opgroeien met geen enkel idee van privacy. Het zal nooit weten wat het betekent een moment voor jezelf te hebben, een niet-opgenomen, niet-geanalyseerde gedachte.'

Overdreven? Pathetisch? Vergeleken bij de omvang van het NSA-schandaal ziet het monitoren van de Dixons-klanten er onschuldig uit. De mentaliteit die erachter schuilgaat is hetzelfde. Vele kleine broers maken één grote.

•

Kan het ons schelen?

Een afgesneden hoofd dat triomfantelijk voor de camera wordt gehouden. Een stervende verpleegster die haar laatste woorden op Twitter zet. Een half ontklede dode die op straat ligt nadat hij door scherpschutters in het gezicht is geschoten. Getuigenissen over verkrachte vrouwen die gedwongen worden hun baby te verdrinken.

Ik zag en las het in één week.

Vooral de grijns van de jihadist met het hoofd kreeg ik niet van mijn netvlies. De verpleegster leefde nog, meldde *The Guardian*. Ze lag in een ziekenhuis in Kiev.

Ik ben geschokt, maar kan het mij wat schelen? De Britse filosoof Alain de Botton schreef een blog: *Kiev is in flames and I don't care*. Wat heeft het voor zin, stelt De Botton, je murw te laten beuken door verschrikkingen die je toch niet kunt verhelpen? Waarom je geweten dag in, dag uit laten prikkelen door rampen, misstanden, gruwelbeelden, enkel omdat het oog van de wereld erop valt? Trek je eigen plan, richt je op zaken die nu nog onderbelicht zijn.

Ik begrijp wat De Botton wil zeggen. Betrokkenheid laat zich niet opleggen. In het verleden was de wereld vooral wat een mens om zich heen zag; bovendien duurde het tijden voor het nieuws uit de grote wereld hem bereikte. Het is een verschil in beleving wanneer je achteraf hoort dat het er in Waterloo hard is toegegaan of wanneer je een filmpje bekijkt waarin verdwaasde jongens uit België en Nederland zichzelf overhoop laten schieten uit naam van het martelaarschap.

Bovendien dreigt schijnbetrokkenheid, van het soort waarover Rob Wijnberg eerder schreef: je oog heeft de neiging af te dwalen, van de gruwelijke beelden van Kiev naar Patty Brard die toch weer in de *Playboy* wil. Je bent ontzet over het rapport van de VN over het Noord-Koreaanse schrikbewind – daarna zoek je verder naar je bonuskaart. Engagement wordt lifestyle – klikken om te laten zien hoe erg je het vindt. De hele wereld komt tot je, maar je bewustzijn kan niet oneindig worden opgerekt. Voor je het weet heb je een nieuwsinfarct.

Vandaar die neiging om de klok terug te draaien, om terug te keren naar een wereld die klein en dichtbij is – het *Journaal* als *Hart van Nederland*, het kleine nieuws lekker groot en het grote nieuws geruststellend klein. De koffieautomaat op het werk als zenuwcentrum van ons nationaal bewustzijn.

Helemaal lekker zit dat niet. Afgelopen week bood een blogger van *The Wall Street Journal* (*WSJ*) het Nederlandse volk zijn excuses aan, omdat hij het gewaagd had zure kanttekeningen te maken bij onze blinde zelfverliefdheid na de schaatssuccessen in Sotsji – de man was, daar heb je onze andere volkssport, vanuit Nederland flink digitaal bedreigd.

Bedreigingen – altijd een teken van een kwaad geweten.

Heeft De Botton gelijk? Volgens mij niet. Met de vloedgolf van beelden neemt ook de duiding van die beelden toe – de journalistiek gaat steeds meer die kant op. Het nieuws maakt je murw, het verhaal erachter juist niet. Het beeld stompt misschien af, de nieuwsstroom maakt wellicht passief (de verpleegster in Kiev zijn we morgen vergeten), maar achtergrondverhaal en beschouwing doen eerder het tegenovergestelde. Die geven diepte, verschaffen inzicht – ook in onszelf. Zoals een goede roman ook altijd over de lezer gaat.

Wat er in Kiev gebeurt, kan mij wél iets schelen – niet in de zin dat ik me goed kan voelen door het heel erg te vinden, en ook niet in de zin dat ik denk dat ik zelf daar het verschil kan maken, maar in de zin dat een goede journalistiek erover mijn bewustzijn van mijzelf en de wereld groter maakt.

Te abstract? Selectief? Open deur? Voorbeeld: iemand die zich verdiept heeft in wat een Irakees die jarenlang in Almere woonde beweegt om in Syrië als een beest tekeer te gaan, zal niet gauw een dreigmail naar de *WSJ* sturen omdat onze nationale sport geen spot verdraagt.

Wie iets van Poetins Rusland weet, kan niet volhouden dat wij daar in Sotsji goed werk voor de mensenrechten verricht hebben door onze koning en koningin het met Poetin te laten afpilsen.

Nieuws gaat altijd ook over ons. En wie denkt dat wij in een veilige wereld leven waarin de gekte nooit doordringt, moet nog eens om zich heen kijken. Van Almere naar Aleppo is minder ver dan het lijkt.

•

Warme oorlog

'Gelukkig zijn alle planten voor Vrouwendag de deur al uit.' Aan het woord is John Buskermolen van plantengroothandel Waterdrinker te Aalsmeer. In Rusland geeft een man zijn vrouw op Internationale Vrouwendag een ruikertje of een fijne potplant – die dag heeft de Hollandse bloemen- en plantenhandel exportgewijs nog gehaald, godzijdank, maar verder komt de crisis vanwege de Russische annexatie van de Krim ons verdomd slecht uit. De zomer staat voor de deur, en dan willen de Russen vrolijke plantjes in de tuin van hun zomerhuisjes. 'Het zou erg jammer zijn als die markt wordt verstoord,' meldde Bart Jan Koopmans van exporteursvereniging Fenedex aan *de Volkskrant*.

Ik vind het bijna vertederend – de Hollandse koopman die zich als een Mutter Courage niet van de wijs laat brengen door woede en wapengekletter, maar zich behendig een weg zoekt tussen de soldaten en tanks om te zorgen dat de Russische vrouw haar huwelijkse liefde bevestigd ziet door een Aalsmeerse gladiool.

Handel houdt vanaf het begin der tijden niet van politiek, want die zit maar in de weg. Handel houdt van vrede, want oorlog is slecht voor zaken – voor de meeste zaken. Ik begrijp het. Alleen jammer dat politiek hier zuiver handel is geworden.

Kijk nog één keer even terug, kijk nog even naar die triomfantelijke Hollandse handigheid wat betreft Rusland, die niets heeft opgeleverd behalve gezichtsverlies: het rampzalige vriendschapsjaar Nederland-Rusland, waarbij Russische provocaties moesten worden weggepoetst, mensenrechtenschendingen gebagatelliseerd, en de koning met Poetin proostte terwijl het Concertgebouworkest speelde. Toen Sotsji, dat ons behalve een recordaantal medailles een foto opleverde die ons nog lang zal achtervolgen: de koning en koningin der Nederlanden die een glas bier heffen met een nietsontziende dictator in het Holland Heineken House, het symbool van ons verdwaasde handelsopportunisme.

Ook opportunisme kan naïef zijn. Naderhand verklaarde de Nederlandse chef de mission Maurits Hendriks over Rusland: 'Het is ook een land dat mijn hart veroverd heeft met misschien wel de beste organisatie ooit. [...] Maar het gaat verder voor mij. De glimlach die ik van al die bewakers en vrijwilligers kreeg op het olympische park; dat is niet gespeeld. Dat is geen façade, dat is echt. Een jonge generatie Russen die hun uiterste best heeft gedaan om de rest van de wereld gastvrij te ontvangen. [...] Het heeft een diepe indruk op mij achtergelaten. Misschien ben ik naïef, maar laten we deze Russen een kans geven.'

Die foto, deze woorden. De geest van overste Karremans is opnieuw vaardig over ons geworden.

Hier en daar is nu sprake van een nieuwe Koude Oorlog. Geloof me, deze oorlog wordt heel warm.

Alle drogredenen van de afgelopen jaren over de dialoog die gaande gehouden moest worden, de lege retoriek over schone handen aan de zijlijn, over sport en politiek die gescheiden moesten blijven, over de koning die niet als pion gebruikt mocht worden, het geklaag over geobsedeerde homo's die te veel voor eigen parochie preekten – met de fixatie op handelsbelangen heeft Nederland de situatie volledig verkeerd ingeschat, feilloos de verkeerde gebaren gemaakt.

Vandaar dat onze koning vooraf links en rechts verkondigde dat hij gewoon naar Sotsji zou gaan, tenzij de politiek dat hem verhinderde, vandaar dat minister Schippers in Sotsji cynisch opperde dat het gearresteerde en mishandelde Pussy Riot wellicht een nieuwe cd wilden promoten (een rasopportunist ziet overal enkel opportunisme), vandaar dat dezelfde minister zo lang mogelijk volhield gewoon met prinses Margriet naar de Paralympics in Sotsji af te reizen. Vandaar ook dat onze minister-president de dreiging met sancties tot het laatste moment voor zich uit bleef schuiven. Hier ging immers een politieke mentaliteit compleet onderuit.

Dat die mentaliteit zo lang op bijval kon rekenen, moet te maken hebben met de algemene Hollandse desinteresse voor alles wat met het buitenland te maken heeft. Het solipsisme van onze sporters staat niet op zichzelf. Buitenlandse politiek is iets voor buitenlanders. Een jaar of vijf geleden hoorde ik een CDA-adviseur letterlijk zeggen: Voor de Nederlander houdt de buitenwereld op bij zijn achtertuin. Dus bij de volgende verkiezingscampagne niets over buitenlandsbeleid. Gewoon posters met Balkenende voor de molens bij Kinderdijk.

Die wezenloosheid is de afgelopen jaren van alle kanten aangemoedigd en geëxploiteerd.

De wereld laat zich niet ontkennen. Er werd na de illegale annexatie als vanouds geklaagd over het gebrek aan Europese fermheid, de traagheid waarmee sancties werden opgelegd en de opgestoken middelvinger van Poetin beantwoord werd. Ongetwijfeld, maar vergeleken met de Nederlandse houding is het een verademing.

•

Storm

De Amerikaanse minister van Buitenlandse Zaken Kerry oogstte hoon toen hij Poetins annexatie van de Krim als een jammerlijke terugval bestempelde. Kerry: 'Je valt niet zomaar uit eigenbelang onder valse voorwendselen een land binnen. Dat is gedrag uit de negentiende eeuw in de eenentwintigste eeuw.' Hij keek erbij alsof hij een mokerslag uitdeelde.

Haha. En Irak dan – raasde het door de sociale media – was dat geen imperialisme soms? Die Amerikanen, dat zelfgenoegzame Westen – altijd die morele superioriteit, blind voor eigen zonden. Maar de bezetting van Irak had met de negentiende eeuw niet veel te maken: een mengeling van neoconservatieve dromen van een unilaterale wereld en het geperverteerde humanisme van idealisten die dachten dat je geloof in democratie kon afdwingen door de loop van een geweer. Het debacle in Irak werd juist veroorzaakt door mensen die waren vergeten hoe negentiende-eeuws de moderne wereld eigenlijk nog is – zodat men oprecht verrast was dat veel Irakezen na het verwijderen van Saddam Hoessein niet spontaan in democratische modelburgers veranderden, maar terugvielen in atavistische loyaliteiten. God en de groep.

Als de recente geschiedenis ergens door gekenmerkt wordt, is het dat: de negentiende eeuw die zich onverwachts en tot verbazing van velen doet gelden in de eenentwintigste. Globalisering heeft ervoor gezorgd dat iedereen op de hele wereld met elkaar verknoopt raakt – we zijn allemaal wereldburgers, ook degenen die het nog niet weten. De vijanden van de toekomst zouden globale vijanden moeten zijn – armoede, ongelijkheid, discriminatie. Religie mag, maar wel als privézaak graag en niet te extreem – sowieso moet iedereen in de gelegenheid gesteld worden zijn wereld naar eigen inzicht in te richten. Iedereen is individu en groepen worden alleen erkend wanneer ze onderdrukt worden.

Zeker, er vallen mensen buiten de boot – maar daar is een mooi woord voor: *Modernisierungsverlierer*. Die boze, ongelukkige mensen moeten geholpen worden, dan zien ze vanzelf wel dat het met de wereld de goede kant op gaat.

Emoties die niet in dit simpele plaatje passen – zoals de atavistische volkerenhaat die oplaaide tijdens de burgeroorlog in voormalig Joegoslavië en later de bloederige religieuze twisten in Irak en in Syrië – werden in eerste instantie beschouwd als een eigenaardige aberratie – dat was niet de kant die we geacht werden op te gaan. Religieuze en etnische conflicten, blind nationalisme in een modern jasje, door de staat en religieuze leiders gesanctioneerde agressie tegen vreemdelingen en homo's, stammen- en groepsdenken – het is allemaal zo akelig regressief, zo lachwekkend negentiende-eeuws, dat het wel tijdelijk moet zijn.

Je hoorde het ook steeds naar aanleiding van de westerse protesten tegen de Russische antihomowet – ze zijn nog niet zover als wij, laten we niet vergeten hoe het hier vroeger was, over dertig jaar, je zult het zien, ziet Rusland er heel anders uit. Die wet was een welbewuste stap achteruit, de Russische homo blijkt de kanarie in de mijn, maar men is hier zo doordrongen van een naïef vooruitgangsgeloof, dat men niet kan geloven dat het het begin van iets ergers is.

Want wie wil er nu negentiende-eeuws zijn in een eenentwintigste-eeuwse wereld? Wie wil er nu niet bij de partij van de vooruitgang behoren?

Ik verbaas me over de verbazing. Het populisme in West-Europa is onbeschaamd nationalistisch, het Turkse nationalisme is dictatoriaal geworden, de jonge jihadisten zijn negentiende-eeuws suïcidaal, hun hoofden vol religieus extremisme en verdwaasde romantiek. Het Midden-Oostenconflict krijgt gaandeweg steeds meer de trekken van een negentiende-eeuwse stammenstrijd. Niemand gelooft meer echt in een uitweg.

Identiteit, geloof, volk, vlag, natie, traditie, geschiedenis, groepsloyaliteit, simplistische vijandbeelden, dromen van glorieuze volkeren en naties – het is tijd te erkennen dat het niet gaat om exotische ontsporingen die eigenlijk in een andere eeuw thuishoren. Ze zijn angstwekkend van deze tijd.

Deze storm gaat niet meer liggen.

Voor mensen als Kerry loopt Poetin met zijn negentiende-eeuwse landjepik hopeloos achter, maar voor veel mensen, niet alleen in

Rusland, is hij zijn tijd juist vooruit. In zijn *Russian Thinkers* schrijft de filosoof Isaiah Berlin over de neiging van Russische radicalen om hun overtuiging, hoe onmogelijk en fataal ook, tot de uiterste consequentie door te voeren. 'Des te moeilijker, tegenstrijdiger en onverteerbaarder een conclusie is, des te hartstochtelijker en enthousiaster deze, door sommige Russen althans, omarmd wordt.' Terugkrabbelen is geen optie, het zou een bewijs van morele zwakte zijn. Berlin schrijft over radicale dromers in de negentiende en twintigste eeuw. Het zijn woorden voor vandaag.

Geen Europeaan

Ach, Europa – er komen verkiezingen aan en weer zal het gaan over bureaucraten, het democratisch tekort, onze bedreigde soevereiniteit die eigenlijk al geen soevereiniteit meer is – en ook weer over het wanhopige zoeken naar die Heilige Graal van integratie en samenhang: een gedeelde Europese identiteit. En op talloze plaatsen in het land, in zaaltjes en congrescentra, op televisie en op de opiniepagina's zal, wanneer de discussie vastloopt, iemand opstaan die zegt: als ik in Amerika/Afrika/China ben, voel ik me wel heel erg Europeaan.

Goedbedoeld, maar daarom niet minder dodelijk.

Eerlijk gezegd: ik kan me niet herinneren dat ik me ooit 'Europeaan' heb gevoeld – wel eens niet-Amerikaan wanneer ik in Amerika was, niet-Aziaat wanneer ik in Azië was, enzovoort. Dat gevoel van culturele dislocatie beschouwen als een verborgen verwantschap met een continent, lijkt me wishful thinking.

Eén worden betekent je één voelen – en dus is er de afgelopen decennia veel gedaan om de Unie ook een gemeenschappelijk cultureel draagvlak te geven. Ach, de forumavondjes waar schrijvers zich bogen over de vraag of er zoiets als Europese literatuur bestond! En ook de talloze Europese bloemlezingen, de Europese manifestaties, en, niet te vergeten, de Europese prijsvragen – verzin een nieuw volkslied, een nieuwe vlag, een nieuwe munt! Allemaal in de hoop dat wij burgers elkaar over de grenzen van ons nationale bewustzijn heen zouden vinden in een gedeelde culturele Europese identiteit – en elkaar uiteindelijk federaal in de armen zouden vallen.

Vooral de dichters, herinner ik me, waren populair. Er kon niks Europees georganiseerd worden, of er werd een blik dichters opengetrokken. Er werden bloemlezingen uitgegeven, lofdichten en hymnes besteld, poëzieavondjes georganiseerd in tot cultuurcentra verbouwde fabriekshallen om de Europese dichtersstemmen in koor te laten klinken. Het ergste voorbeeld van deze zwaar gesubsidieerde culturele heilsverwachting was een Europees project waarbij dichters uit de lidstaten wekenlang in een reusachtige aak al declamerend de Rijn afvoeren, de bewoners van de aangedane steden en dorpen ongetwijfeld verbluft achterlatend.

Waarom dichters? Europa, luidde de boodschap, was niet zomaar een praktische, economische of zelfs politieke entiteit – Europa was iets hogers, Europa was jezelf overstijgen, Europa was transcendentie.

Europa wás poëzie.

Die verheven wensgedachte is vrijwel vervlogen. De naïeve gedachte dat je op deze, van bovenaf afgedwongen, kunstmatige manier een gezamenlijke culturele identiteit kunt afdwingen is, dat is zeker, op een mislukking uitgedraaid. Erger nog – het heeft averechts gewerkt.

Het was te gezellig, te besloten, te braaf, te correct. Nu het Europese project van alle kanten betwist wordt, nu de aannames die eraan ten grondslag liggen felle discussies oproepen, dwingt het de EU smoel te laten zien – al was het maar door die discussies aan te gaan. Die gaan allang niet meer over een vermeende gedeelde cultuur, een Europees gevoel dat ergens diep in je te vinden moet zijn, als je er maar goed naar zoekt.

Nee, ze gaan over brisante kwesties die de afzonderlijke lidstaten eveneens verscheuren: de spanning tussen de idealen van de Verlichting en de groeiende behoefte aan identiteit, gemeenschaps- en groepsgevoel. Tot dusver heeft Europa steeds gedaan alsof het daarboven stond – populisme! – terwijl het er allang middenin staat.

Een omstreden Europa is een zegen, geen vloek. Er zal altijd spanning zijn tussen het kleine en het grote, eigenheid en het andere, de natie en de rest van de wereld. De gedachte aan een federaal Europa is net zo onzinnig als de gedachte aan geen Europa. Wie betrokkenheid en gemeenschappelijkheid vraagt, zal altijd in een discussie belanden over hoever je daarin moet gaan. Maar voer die discussie dan ook gretig – ga het instituut uit en de straat op – en niet alleen om lege beloftes te verkopen op de Maidan in Kiev.

Het kwartje lijkt niet gevallen. De drie beoogde voorzitters van de Europese Commissie zijn hopeloos ancien régime. Een interview met de belangrijkste kandidaat, de Luxemburger Juncker, bezat alle elan van een natte dweil.

Intussen werd Marine Le Pen, leider van het Franse, anti-Europese Front National, voor de tweede keer met open armen ontvangen in de Russische Doema – ze verklaarde geheel op de lijn van de huidige Russische machthebbers te zitten. De partij van Poetin onderhoudt intensief contact met de Europese anti-Europa-partijen en -bewegingen. Triest dat de Nederlandse politiek Europese verkiezingen steeds weer als een verplicht nummer presenteert. Er staat zoveel op het spel.

•

Orakel

Maar wat is het nou? Op 5 mei verrijst op de Dam een reusachtige kop van staaldraad, die op Bevrijdingsdag, ik verzin niks, de sms'jes van burgers uitspreekt. Het dondert niet wat er geschreven wordt. Iedereen mag het Orakel van Atelier Van Lieshout alles laten zeggen. Volgens Van Lieshout is het 'een afgodsbeeld waar de gemeenschap zich omheen verzamelt'.

Huh? Orakel, afgodsbeeld – ik heb niks tegen conceptuele kunst, wel iets tegen halfbakken concepten. Even klassiek: een orakel in de Oudheid vertelde mensen wat ze nog niet wisten, een orakel sprak in raadselen waarvan de diepere betekenis pas gaandeweg duidelijk werd. Bij Van Lieshout is iedere Hollandse burger zijn eigen instant-orakel. Even Bijbels nog: een afgodsbeeld is iets waarin je gelooft maar waarin je niet zou moeten geloven.

Dus wat is het nou? Van Lieshout verwacht dat de teksten 'nobel' en 'filosofisch' zullen zijn, maar ook 'schunnig' en 'politiek incorrect'. Lekker! 'Het orakel is de spiegel van onze maatschappij. Kom maar op met die teksten. Daarin laten we zien wie we zijn. Als nare berichten de overhand hebben, dan zijn we een nare samenleving.'

Racistische teksten en leuzen, minder, minder, minder – het Amsterdams 4-en-5-mei-comité hoopt dat burgers in het geval van verbale meuk elkaar zullen corrigeren – natuurlijk via het Orakel. Er zal niets gecensureerd worden, want de kern van het kunstwerk 'zit in de vrijheid'.

Als je geen idee hebt, als je niets te zeggen hebt, dan word je gewoon een 'spiegel van de maatschappij'. In de digitale samenleving is vrijheid al jaren een probleem, omdat iedereen iets te zeggen heeft, maar bijna niemand zich meer iets laat zeggen. Via sociale media worden mensen uitgescholden, zwartgemaakt, bedreigd. En ook gecorrigeerd, natuurlijk: op Twitter wordt dag en nacht medeburgers op echt Hollandse wijze de les gelezen.

Honderden artikelen zijn erover geschreven, tientallen uren talk-show zijn ermee gevuld. De kunstenaar trekt er domweg een lijntje omheen en zet het op de Dam, met de zegen van het Comité.

Dat Van Lieshout niet weet wat een orakel is, oké. Dat hij niet weet wat een afgod is, nou ja. Wel lastig dat hij geen idee heeft wat vrijheid is.

Of liever, zijn idee van vrijheid bestaat uit dezelfde handvol clichés waarmee je ieder jaar rond Bevrijdingsdag wordt doodgegooid: vrijheid is de totale, ongefilterde mondigheid, vrijheid is dat je alles mag zeggen. Verder gaat het niet. Dat vrijheid een lastige opdracht is, die dwingt tot voortdurend afwegen en onderhandelen; dat mijn vrijheid de vrijheid van anderen kan beperken, dat vrijheid inhoudt dat je zo nu en dan moet kunnen luisteren – dat alles valt buiten die simplistische voorstelling van grenzeloze ongeremdheid.

Er zit iets cynisch in dat Orakel van Van Lieshout. Je presenteert een vals idee van vrijheid en als het uit de hand loopt, 'dan zijn we een nare samenleving'. Zo zit het niet. Met zijn Orakel schépt Van Lieshout een nare samenleving.

Op 4 en 5 mei worden we geacht de doden van de Tweede Wereldoorlog te herdenken en onze herwonnen vrijheid te vieren. Beide gaat ons steeds moeilijker af – het herdenken van de doden is een stammenstrijd geworden tussen de rekkelijken en de preciezen (moet je de doden herdenken enkel en alleen vanwege henzelf, of dient het vooral voor nieuwe generaties als morele les, zodat ook de nakomelingen van de beulen erbij betrokken kunnen worden?). Vandaar dat 4 meiherdenkingen uit angst voor rumoer zelf steeds meer een oefening in chique nietszeggendheid zijn geworden, waardoor het grote vergeten eerder wordt aangemoedigd dan tegengegaan.

En dan 5 mei: het vieren van de vrijheid staat gelijk aan een feestje bouwen, altijd vergezeld door de dooddoener dat vrijheid voor ons zo vanzelf spreekt dat we ons niet meer realiseren welk een groot goed – zelf verder invullen.

Die wezenloze mantra voldoet niet meer. Onze vrijheid staat onder druk – de affaire-Snowden heeft hardhandig afgerekend met de blijmoedige droom van de oneindige digitale zelfontplooiing. In de zaak van het preventieve verbod op de onaanzienlijke pedofielenvereniging Martijn trad de Haagse vleesklomp Henk Bres op als wetgever – *mob rule* verkleed als dreigende 'maatschappelijke ontwrichting'.

En zo verder. Vrijheid is allang niet meer iets wat 'vanzelf spreekt'.

Het Orakel zul je er niet over horen.

•

Worst

'We leven in de eenentwintigste eeuw.' Aldus Conchita Wurst, de jongen met baard en jurk die Oostenrijk vertegenwoordigde op het Songfestival en nog won ook. Wurst reageerde op de Russische politicus Vitali Milonov, antisemiet en architect van de beruchte antihomowet, die de zanger 'een ziek persoon' had genoemd, die 'schaamteloze propaganda voor homoseksualiteit en geestelijk bederf' zou bedrijven. Onverdraaglijk dat de twee smetteloze Russische zangeressen op hetzelfde podium moesten verschijnen met dit creatuur. Zender op zwart!

'Voor mij is het onbegrijpelijk dat iemand zoiets kan zeggen,' zei Wurst, die eigenlijk Thomas Neuwirth heet. 'Seksualiteit en nationaliteit zijn onbelangrijk en het maakt ook niet uit hoe je eruitziet. Daarom heb ik dit personage gecreëerd.'

Ach, Conchita. Als iets kenmerkend is voor de eenentwintigste eeuw, dan is het dat seksualiteit en nationaliteit juist wél weer belangrijk zijn. Tien jaar geleden zou haar verschijning spottend in de categorie camp zijn opgeborgen, die postmoderne, nichterige vrijplaats waarin alles met een vette knipoog gepaard ging en iets leuk was omdat het zo flauw was. Niets deed er meer echt toe.

Dat speelkwartier in de geschiedenis is voorbij. Alle grenzen die lang achterhaald en overbodig leken, worden ijverig opnieuw getrokken. Het woord camp hoor je ook nooit meer. Conchita Wurst met haar postmoderne en panseksuele identiteitenmix bevindt zich ineens in het brandpunt van een harde botsing van wereldbeelden.

Overdreven? In 2014 kwam het Europees actieplan tegen homofobie in stemming in het Europees Parlement. De extreemrechtse vrienden van Geert Wilders, het Front National, de Lega Nord en het Vlaams Belang stemden tegen. De PVV, die pal zegt te staan voor homo's, tenminste wanneer die het doelwit zijn van islamitische haatpraat, onthield zich van stemming. Zo waait de wind – en Wilders, de grootste opportunist die de Nederlandse politiek gekend heeft, en dat wil wat zeggen, waait mee. Het is hem allemaal worst.

Behalve Wurst zorgde nog een zanger voor ophef. Tegen de Bredase rapper Ismo werd aangifte gedaan vanwege teksten in zijn lied *Eenmans*. De meest omstreden regels: 'Ik haat die focking joden meer dan de nazi's' en 'Flikkers geef ik geen hand'. Ismo, die eigenlijk Ismael Houllich heet, is in alles het tegenovergestelde van Conchita Wurst. Waar de naïeve vrouw met de baard zich een wereld voorstelt waarin alle grenzen vervaagd zijn, waarin identiteit oneindig maakbaar is geworden, daar poetst de rapper zijn gettonarcisme op met agressie tegen alles wat zich buiten zijn eigen benarde groep bevindt. Toen hij *PowNews* op zijn dak kreeg, verdedigde hij zich precies zoals Wilders zijn 'minder Marokkanen' verdedigde; met flikkers bedoelde hij niet 'de homo's', en met die joden bedoelde hij alleen zionistische joden die zijn broeders in Palestina pijn deden. Zoals Wilders natuurlijk alleen criminele Marokkanen op het oog had. Jammer dat hij tijdens zijn uitleg door jonge medestanders overstemd werd, die riepen dat ze gewoon homo's haatten.

Conchita Wurst en rapper Ismo; beiden zitten gevangen in hun *bubble*, Conchita in het kitschcircus dat Songfestival heet, Ismo in zijn gapend voorspelbare Mocrorap: een beetje straat en een beetje haat. Een beetje maar, hoor. Flikkers geen hand willen geven scoort niet hoog op de haatmeter; in de Jamaicaanse murder music begint het met levend verbranden van homo's. En dat zionistische joden van Ismo mogen 'doodvallen' is ook best wel passief, want dan kun je lang wachten.

De leukste reactie kwam van de Bredase Stichting Wijkbelang Heuvel ('Weer een supergezellige pannenkoekmiddag in de Heuvel!'), die de buurtrapper eerder van harte had gefeliciteerd met zijn eerste videoclip. Toen de commotie losbarstte, kwam de wijkraad haastig met een persbericht. Proef deze zinnen, ruik het zweet: 'De single bevat controversiële teksten die zowel lof als kritiek oogsten. Naar het oordeel van de wijkraad vallen de teksten onder de vrijheid van meningsuiting en de artistieke vrijheid die ruimte laat voor dergelijke expressies.' De commotie, constateert de wijkraad, is positief én negatief: 'Aan de ene kant wordt het debat bevorderd, en aan de andere kant worden tegenstellingen vergroot.' Gek eigenlijk. Dat laatste kan worden tegengegaan door 'in gesprek te blijven'. Uitgangspunt daarbij moet zijn dat ‘we oog houden voor de menselijke waardigheid’.

Altijd in gesprek blijven! Arme Ismo. Kondig je een persoonlijke intifada af, maakt de wijkraad er een pannenkoekmiddag van. Neem Ismo serieus, confronteer hem keihard met Conchita Wurst. Dan gaat het ergens over.

Natte vinger

Slecht nieuws voor iedereen: rode wijn en chocolade zijn helemaal niet goed voor je. Jarenlang is het tegenovergestelde beweerd – denk aan al die keren dat een tafelgenoot je toesprak over hoe de antioxidanten in een dagelijks glaasje je zouden beschermen tegen hart- en vaatziekten en kanker – zodat, anders gezegd, de dood zelf op afstand zou blijven. En alleen pure chocolade eten met een hoog percentage cacao. Anders werkte het natuurlijk niet.

Hoe vaak heb je die onzin zelf verkocht?

Want het is onzin – de Amerikaanse Johns Hopkinsuniversiteit heeft negen jaar lang de urine van bijna achthonderd Italiaanse 65-plussers onderzocht en weet nu zeker dat het antioxidant resveratrol in wijn, druiven en chocolade geen enkel effect heeft op het ontwikkelen van bepaalde ziekten of op de overlijdenskans.

Au.

Het slechte nieuws werd gebracht door *de Volkskrant*. Nog maar een jaar geleden kopte diezelfde krant: 'Rode wijn beschermt ook tegen gehoorverlies.' Toen zag de wereld er heel anders uit: 'Resveratrol is een zeer krachtige stof die lijkt te beschermen tegen het ontstekingsproces van het lichaam, gelinkt aan ouder worden, de werking van het brein en gehoorverlies.' Dat werd niet aangetoond aan de hand van Italiaanse bejaardenplas, maar met ratten die waren blootgesteld aan snoeihard lawaai. Dr. Michael Seidman zag resveratrol als een wondermiddel: 'Denk maar aan alzheimer, kanker en gehoorverlies.'

Ja, daar denken we allemaal aan, heel vaak zelfs, het zijn de poorten van de hel. Vandaar het gretige geloof in de wetenschap als voodoo, het onmiddellijke vertrouwen in de eerste de beste natte vinger.

'Het is een beetje een puinhoop,' zegt Sander Kersten, hoogleraar moleculaire voeding aan de Universiteit van Wageningen. 'De ene onderzoeker vindt een positief effect op kanker. De ander op diabetes. De meeste onderzoekers vinden géén effect, maar die krijgen weinig aandacht.'

De hoop die de wetenschap ons biedt – het is bidden in de kerk, maar dan anders.

Van de gedragswetenschappen wisten we het al; de neiging in ons verlangen naar zekerheden tegemoet te komen, onze hang gerust gesteld te worden, het verlangen naar een feitelijke bevestiging van wat we graag willen zien. Zie onder Diederik Stapel.

Corine de Ruiter, hoogleraar forensische psychologie, werd door het tuchtcollege berispt, omdat zij door 'haar gedrag en advies een vechtscheiding heeft doen escaleren'. In een rapport heeft ze valse beschuldigingen van een moeder, die beweerde dat haar ex hun zoon had mishandeld en misbruikt, zonder wederhoor gesanctioneerd. Zonder grondig onderzoek kreeg de moeder haar beschuldigingen bevestigd. Kinderombudsman Marc Dullaert ziet een trend: 'Juist hoogopgeleide ouders trekken juridisch alles uit de kast. Dat gaat van absurde beschuldigingen van seksueel misbruik tot het elkaar om de oren slaan met verklaringen van allerlei zelfbenoemde experts.'

Woody Allen kan erover meepraten.

Het medisch tuchtcollege stelt dat De Ruiter, die vaak op televisie de rol van expert vervult, zich in haar rapportage geheel met de wraakzuchtige moeder heeft vereenzelvigd – de vader en het kind heeft ze nooit gesproken. De hoogleraar gaat in beroep, maar al eerder kreeg ze een waarschuwing, nadat ze gerapporteerd had over een moeder die ze eveneens nooit had gezien. En later nog een keer.

Steeds vaker vertelt de expert wat je graag wilt horen. Feiten op bestelling: willen we een rapport dat aantoont dat we als Nederland uit de EU beter af zijn, dan bestellen we zo'n rapport. Het omgekeerde is ook mogelijk. Ten behoeve van de PVV toonde Maurice de Hond aan dat een groot deel van de bevolking het met Wilders' Marokkanenhetze eens was, in opdracht van *de Volkskrant* toonde hij vlak daarna aan dat het in werkelijkheid een stuk genuanceerder lag.

Je gelooft – zinnetje van de toneelschrijver David Mamet – degene die je vertrouwt. Feiten zijn vooral gevoel geworden. Zelf weet je immers maar bar weinig zeker. Ondanks alle vooruitgang zijn de grote onzekerheden in het menselijk bestaan niet minder geworden. Vergankelijkheid, het Kwaad en de Dood, wat dat betreft zijn we sinds de Middeleeuwen niet echt opgeschoten. Het geloof in wonderen is afgenomen, het geloof in wondermiddeltjes is alleen maar groter geworden. De expert is onze voodoopriester. Hij bezweert wat we niet kunnen beheersen.

•

Brandstapel

Dat de bewoners van Apeldoorn zo laconiek reageerden – om niet te zeggen onverschillig – op het nieuws dat ze de moordenaar van Pim Fortuyn voortaan bij de bakker kunnen tegenkomen – voor de breed uitgewaaierde media bleek het een regelrechte afknapper. Ontwrichting, opstand, volksgericht en eigenrichting, het was allemaal zo verlekkerd voorspeld dat het wel moest gebeuren – en nu zou er dagenlang geoogst kunnen worden, tot ver in het WK.

Een jaar eerder al werd het melodrama opgestart. Van der G. werd verlof geweigerd vanwege 'de grote maatschappelijke onrust' die dat zou veroorzaken. Aan dat vage begrip wilde niemand zijn vingers branden. De rechterlijke macht, maar ook de journalisten en cameramannen die de afgelopen dagen kwijlend de nieuwe buurt van Volkert afstruinden, bleken een klassieke denkfout gemaakt te hebben – veel maatschappelijke onrust speelt zich in Nederland alleen af op televisie.

Wat te doen? Omdat de woede achterwege blijft, heet de reactie van de nieuwe buren van Van der G. nu ineens 'kalm' en 'rustig'. Het deed me denken aan de CNN-reporter die ik na de moord op Rajiv Gandhi begin jaren negentig in India tegenkwam. Hij en zijn ploeg waren afgereisd in de verwachting een land in chaos aan te treffen, maar overal ontmoette hij enkel rustige, onaangedane mensen. Met een van ernst vertrokken gezicht sprak hij dus maar tot de camera: 'A nation too stunned to grief.'

Onverschilligheid is geen nieuws.

Uit de voxpopjes bleek dat de komst van Volkert van der G. niemand in Apeldoorn wat kan schelen zolang de buurtbarbecue maar niet door een kogelregen wordt verstoord. Gevreesd wordt enkel een op wraak beluste gek: 'We hebben het nu goed met de buren en zitten met dit soort dagen graag met een wijntje bij de beek buiten. Dat willen we graag zo houden.'

Je moet uitkijken met voorspellingen, maar ik denk niet dat we nog veel over Volkert van der G. zullen horen. Hij is geschiedenis.

Is het een overwinning van de rechtsstaat, heeft het verstand het gewonnen van de emotie? John Berends, de burgemeester van Apeldoorn, wordt geprezen vanwege zijn trefzekere aanpak en glasheldere communicatie. Terecht, maar ik heb niet de indruk dat hij een uitslaande brand heeft moeten blussen. Er was veel rook, maar geen vuur. De meeste mensen laat het eenvoudig koud.

Van wie was de rook afkomstig? Al die loze opwinding rondom Volkert in Apeldoorn maakte opnieuw zichtbaar wat iedereen allang weet: dat zo veel 'nieuws' dat zichzelf rechtvaardigt met 'laten zien wat er speelt' en 'dicht bij de mensen wil staan' geen idee heeft wat er speelt – en gewoon schandaal jagen is.

Het opgestoken vingertje van verontwaardiging, het etaleren van erge mensen met erge meningen: al zappend zag ik hoe Johan Derksen aan tafel bij Knevel en Van den Brink de tot de islam bekeerde ex-PVV'er Arnoud van Doorn de mantel uitveegde. Even opende zich een afgrond van betekenisloosheid. Maatschappelijk stelt Van Doorn niets voor, zijn nieuwswaarde is nul – hij functioneert nog slechts aan de borreltafel in de studio. Op zich geen probleem, de Nederlandse televisie wordt bevolkt door mensen die hun aanwezigheid louter aan het scherm danken. Onverteerbaar is de schijn van maatschappelijke betekenis waarmee het geklets wordt gerechtvaardigd. Men doet alsof het gaat over 'wat er speelt'.

Geen wonder dat wanneer men er een keer op uittrekt, de werkelijkheid er plotseling heel anders blijkt uit te zien.

De afgelopen veertien jaar – pak 'm beet – was het schema helder. Er was volk dat verteerd werd door onvrede en wrok – je hoefde maar even de juiste knop in te drukken of de woede golfde hoog op. De populaire journalistiek – en welke journalistiek wil tegenwoordig niet populair zijn? – raakte eraan verslaafd. Het ging meestal nergens over, maar het was 'mooie televisie'. Zo doen we dat.

In het geval van de nieuwe woonplaats van Van der G. bleek het schema ineens niet meer te kloppen. De brandstapel wilde maar geen vlam vatten. De inwoners van Apeldoorn weigerden de hun toebedeelde rol te spelen – en ook de verantwoordelijke bestuurder bedankte voor de traditionele rol van elitaire paljas. En dus stond een heel regiment dat nieuws ziet als een selffulfilling prophecy ineens met z'n mond vol tanden.

Of het een kentering is, weet ik niet. Een verademing is het wel.

III

Een waanzinnig gaaf land

•

Een stevige daad

Meteen nadat de jihadist die zich Mujahiri Sháám noemde zijn broeders in een videoboodschap opriep om op te staan en 'desnoods een sterke, stevige daad' tegen de Nederlandse overheid te verrichten, was het land in rep en roer. Mujahiri Sháám, die in Nijmegen gestudeerd schijnt te hebben, sprak ons toe in die hoogdravende mengeling van Koranisch Nederlands en het Koningslied (Zie en kijk toe, o toeschouwers! De moedjahedien, alvorens zij gingen strijden om het volk te bevrijden...).

Niemand die erom moest lachen.

Niemand wil er achteraf van beschuldigd worden dat hij een aanslag niet heeft zien aankomen, dus ziet iedereen hem nu onherroepelijk aankomen.

Zijn we bang, moeten we bang zijn, zijn we bang genoeg? Is het de islam, heeft het niks met de islam te maken? Inmiddels gaat het er elke avond over op de Nederlandse televisie – liefst de hele avond. De enige echte aanslag, die op de MH17, bijna driehonderd doden, lijkt alweer bijna vergeten.

Kamerleden, terrorisme-experts, opiniemakers en Arnold Karskens – iedereen heeft een mening over wat de jihadisten beweegt en wat ons te wachten staat.

Ik kan niet in het hoofd van Mujahiri Sháám, alias Abu Mohammed, kijken, maar ik kan me voorstellen dat hij best tevreden is. Zijn paspoort is ingenomen en hij heeft vast niet lang meer te leven, maar als dreigen met terreur het zaaien van paniek en verwarring als doel heeft, dan kan hij voldaan het martelaarschap tegemoet gaan. Een-twee-drie, heel het land op de kast.

De talloze verklaringen over de ontsporing van jongens als Mujahiri Sháám zijn als evenzoveel stukjes van een legpuzzel, maar bij elkaar vormen ze geen helder plaatje. Zo las ik een montere beschouwing in een Engelse krant van een denker die er zeker van was dat het allemaal goed zou komen – het zijn immers door en door verwesterde jongeren, ze maken zich serieus zorgen of ze voor hun reis naar Syrië niet eerst hun sportschoolabonnement moeten opmaken en slepen potten pindakaas mee naar het front, zich intussen zorgen makend over het opraken van hun beltegoed. Geen zorgen dus!

Mij lijkt dat hopeloos naïef en zelfgenoegzaam. Net als de uitleg van de Vlaamse 'jihadistenkenner' Montasser Alde'emeh in NRC *Handelsblad*: 'Voor jonge moslims die hun geloof 100 procent serieus nemen, is er in West-Europa geen plaats. Zo voelen ze dat. Naar Syrië gaan om er mee te strijden is een statement – je afzetten tegen het Westen – maar ook een verlossing. Eindelijk belanden ze ergens waar ze zich niet meer hoeven te verantwoorden voor waar ze in geloven.'

Zou het?

Mij lijkt het dat veel jihadisten juist nergens meer in geloven. Sinds Conrads *Hart der duisternis* (1899) zouden we vertrouwd moeten zijn met hoe een individu verlossing kan zoeken in een ongrijpbare mengeling van doodsdrift en vernietigingsdrang. Conrads Mr. Kurtz vertrekt naar de binnenlanden van Afrika met de meest hooggestemde idealen en een welbespraaktheid waar Mujahiri Sháám nog een puntje aan kan zuigen – maar op de palen van het hek van zijn woning zijn de afgehakte hoofden van zijn vijanden gespietst. Uiteindelijk wordt betekenis, of 'verlossing', gevonden in een orgie van geweld, daden van onvoorstelbare wreedheid. De uitkomst is de dood, niet het kalifaat.

Dat iemand zin aan zijn leven kan geven door het afhakken van het hoofd van een ander is voor de meeste mensen niet te begrijpen en te verkroppen, vandaar dat men met zo veel 'redelijke' en 'logische' verklaringen komt. Maar het is zoals schrijver Said El Haji in een stuk op opiniesite Joop aangaf: wil je een jihadist begrijpen, dan moet je niet de Koran gaan lezen, maar *Scarface* gaan kijken. Wanneer jongens als Mujahiri Sháám het over de Profeet hebben, bedoelen ze eigenlijk Tony Montana.

Dat van Nederlandse moslims nu hier en daar geëist wordt dat ze zich openlijk distantiëren van de IS-beulen, speelt deze laatsten volledig in de kaart. Zij willen juist dat moslims denken dat er een oorlog tegen de moslims wordt gevoerd, zoals Wilders c.s. roepen dat de islam ons de oorlog heeft verklaard. De aantrekkingskracht van die verleidelijk simpele overtuigingen vormt een grotere bedreiging voor onze samenleving dan welke terroristische dreiging dan ook. Moslims en niet-moslims zouden zich er fel tegen teweer moeten stellen, voor de verandering eens met elkaar.

•

Boerenverstand

'Ik moest even googelen wat ICT betekent,' sprak Kamervoorzitter Anouchka van Miltenburg, voordat ze een vernietigend rapport over de omgang van de overheid met ICT in ontvangst nam. Als het humor was, dan was het nog steeds om te huilen. 'Dit is echt het dieptepunt,' brieste ICT-ondernemer René Veldwijk. 'Er wordt hier gewoon gekoketteerd met onkunde.'

Nog niet zo lang geleden gold schelden op de politiek als een oprisping van bedenkelijk populisme. Lekker makkelijk, roepen vanaf de zijlijn, wist de burger wel hoe hard er in de Kamer werd gewerkt? Besefte men wel dat het democratische handwerk veel tijd en zorgvuldigheid vergde?

Inmiddels scheldt de politiek op de politiek.

De ICT-commissie onder leiding van VVD-Kamerlid Elias schept er een bijna tastbaar genoegen in het onvermogen van regering en parlement zo diep mogelijk in te wrijven. Elias: 'Bij te veel ICT-projecten van de overheid is het een onoverzichtelijke boel zonder scherp uitgangspunt en zonder goede beheersing en aansturing. En helaas geldt dat vaak op alle niveaus, bij alle betrokken partijen en in alle stadia van de projecten.'

Het is dus, netjes samengevat, één grote tyfuszooi. Er worden ambitieuze plannen gemaakt zonder enige kennis van zaken, de Kamer controleert nauwelijks, de ICT-leveranciers leveren half werk en drijven de prijzen op, de opdrachtgever heeft er toch geen bal verstand van.

Dat geklungel kost tussen de 1 en 5 miljard per jaar, schat de commissie.

Het is een 'veilige' schatting.

Als oplossing pleit de commissie voor het instellen van een nieuwe autoriteit, het Bureau ICT-toetsing, dat ieder ICT-plannetje van boven de vijf miljoen euro zal toetsen aan 'boerenverstandregels'. De overheid wordt, kortom, door zichzelf onder curatele gesteld –

als een gokverslaafde die zelf een toegangsverbod in het casino aanvraagt, een alcoholist die zijn vrouw vraagt de sleutel van de drankkast te verstoppen.

Misschien is het een goed idee. Ik zou zeggen, dan ook maar meteen een Bureau Toetsing defensie. En openbaar vervoer. En onderwijs. En zorg. En het omroepbestel. En Henk Krol.

Het rapport van de commissie-Elias laakt het 'ongebreidelde enthousiasme' waarmee de Kamer ICT-projecten omarmt. Er komt een idee langs, en iedereen haakt enthousiast in, zonder veel kennis van zaken. Maar men wil wel even zijn eigen stempel op het idee drukken, dus wordt de opdracht uitgebreid, worden de eisen aangescherpt. Tot het project kapseist. In de ICT heet dat *scope creep*.

De reactie op het vernietigende rapport? Meer ongebreideld enthousiasme.

Een van de ICT-projecten die struikelend de eindstreep haalden, was de ov-chipkaart. Nu eindelijk alle poortjes functioneren, moeten we daar weer zo snel mogelijk vanaf. Volgens VVD-Kamerlid Betty de Boer is de chipkaart 'achterhaald'. Waarom? 'Mensen moeten gemakkelijk van A naar B kunnen reizen. Op dit moment is de ov-chipkaart meer een hindermacht dan dat het mensen faciliteert om te reizen.'

Zelf reis ik eerlijk gezegd vrij gemakkelijk van A naar B – en als het niet gemakkelijk is, dan ligt het aan de gebrekkige infrastructuur van de spoorwegen, niet aan mijn ov-chipkaart. Maar Betty de Boer heeft de toekomst gezien en niemand neemt haar die meer af. 'Je kunt ook al reizen met een app op je mobiele telefoon of via een chip in je bankpas. De techniek is al mogelijk, maar we moeten het gewoon gaan invoeren.' En snel ook. Betty: 'Ophouden met testen. Ik wil dat vóór 1 juli een vernieuwd systeem voor reizen in het openbaar vervoer is uitgerold.'

De PVV daarentegen wil juist keihard achteruit: het treinkaartje moet terug – net als de gulden en Zwarte Piet.

Arm land, gevangen tussen ondoordachte toekomstdromen en onmogelijke nostalgie.

Wie stopt Betty de Boer? De verantwoordelijke staatssecretaris probeerde het nog door te zeggen dat de chipkaart een volwaardig product is, dat nu verder moet worden ontwikkeld, maar in de Kamer is al een ruime meerderheid voor afschaffing van de kaart, dat ‘onding met gebreken’. Men weet vooral dat men er zo snel mogelijk van af wil, geen idee wat ervoor in de plaats moet komen. Alleen D66 wil eerst nog even testresultaten afwachten voordat er voor een nieuw systeem gekozen wordt. Kamerlid Van Veldhoven: ‘Laten we het deze keer vooral goed doen.’

Het is een idee.

Rotte appels

Ook het terrorisme kent zijn journalistieke clichés – Canada, lees ik, is na de aanslagen bij onder andere het parlementsgebouw 'ruw uit de luwte ontwaakt' en 'wreed wakker geschud'. Het land heeft, schrik niet, zijn 'onschuld verloren'. *De Volkskrant*: 'Vanachter dranghekken kijken de Canadezen toe, zich afvragend wat op deze dag van geweld nog meer verloren is gegaan van wat hun dierbaar is.'

Pfft. Zou het? Als het aan dit soort journalistiek ligt, worden we iedere dag ruw wakker geschud. Waarna we ontsteld ontdekken dat we onze onschuld verloren hebben.

Lof in de media was er voor premier Stephen Harper, die verklaarde dat 'Canada zich niet laat intimideren'. Wat had hij anders kunnen zeggen? We staken per vandaag onze acties tegen IS en voeren per decreet de sharia in?

In Nederland is nog niets gebeurd, maar overal kun je lezen dat er iets te gebeuren staat. In de bezweringen klinkt een verlekkerd soort paniek door. We moeten vooral kalm blijven, met paniek 'schiet niemand iets op', maar intussen is men zo geobsedeerd geraakt door het gevaar van 'de toorn van ontspoorde moslims' (*de Volkskrant*) dat het vrijwel nergens anders meer over gaat.

Als ik een ontspoorde moslim was, en toornig bovendien, zou ik me inmiddels bijna verplicht voelen iets te ondernemen. Het moet een fijn gevoel zijn je zo gevreesd te weten.

Er is inmiddels al ontzettend veel geschreven over de mindset van de westerse jihadist. Sommigen van hen zijn inmiddels *minor celebrities*. Er wordt met hen geskypet en getwitterd en gefacebookt. Er worden profielen over hen geschreven, ze worden met opvallende beleefdheid 'exclusief' geïnterviewd op televisie in binnen- en buitenland (de meesten meer dan eens). Experts mogen leeglopen over hun psychologische, religieuze, sociale beweegredenen. Moeten we hun paspoort afpakken of ze juist lekker laten gaan op hun missie van dood en verderf?

Dagelijks worden ze geteld en gemonitord. Wat denken ze, wat doen ze, wat eten ze, met wie neuken ze?

'De meeste Amsterdamse jihadisten komen uit stadsdeel Noord,' meldt *De Telegraaf*, volgens bronnen die 'nauw betrokken zijn bij de radicalisering van moslimjongeren'. Ex-radicalen die vroeger nog terreurverdachten waren, worden ingezet om de jongeren te deradicaliseren. Maar ze blijven levensgevaarlijk, wat dacht je dan: 'Het kan nog steeds. Er broeit onderhuids wel degelijk iets.' Burgemeester Van der Laan riep deze week op tot alertheid voor signalen van radicalisering. Ook hij nam alvast een voorschot op een komende aanslag. 'We kunnen niet alles voorkomen.'

Het doet me denken aan de omgang van Discovery Channel met haaien. De dieren worden door de zender steevast als levensgevaarlijk voorgesteld, maar tegelijk eindeloos vaak voor de camera gesleept. Haaien gelden als onvoorspelbaar en dodelijk, maar inmiddels heeft ieder beest allang een zender op zijn vin. Ze worden gepord en uitgedaagd, want het wordt pas leuk als ze hun tanden in een kooi zetten. Vrijwel iedere maand is het *Shark Week*.

Wat zou Discovery Channel zonder haaien zijn?

Het verschil met de jihadisten is dat de laatsten ook wat graag voor de camera verschijnen. Zoals Hassan Bahara in zijn artikelen voor *De Groene* liet zien, zijn ze vooral ontzagwekkend mediageil.

Alle aandacht richt zich nu op de aanslag die je weet dat zal komen. Maar de echte aanslag heeft al plaatsgevonden: het effect van de westerse jihadisten op de nog altijd door een diepe wederzijdse achterdocht getekende verhouding tussen het Westen en de islam. Het religieuze gangsterdom van de jihadi's is er onverbloemd op uit die verhouding verder te vergiftigen. Met zijn gewelddadige heroïsme en simplistische belofte van een leven in waarheid speelt het in op gevoelens van onbehagen en vervreemding die overal al volop aanwezig zijn.

Het is op dat vlak dat moslims en niet-moslims zich niet zouden moeten laten intimideren. Daar zijn stevige gebaren van saamhorigheid voor nodig.

Ik zie ze niet.

Je kunt de jihadisten alleen geriefelijk afdoen als 'rotte appels' wanneer je zeker weet dat de rest van de samenleving goed in z'n vel steekt. Iedereen weet dat dat niet zo is. Dat de burgemeester van

Amsterdam de burger oproept op zijn hoede te zijn voor tekenen van radicalisering, is te begrijpen. Maar als ik hem was, zou ik me vooral met de rest van de bevolking bezighouden.

•

Held

Dweepziek onthaal voor held van links, kopte *De Telegraaf* over het bezoek van de Franse econoom Piketty, auteur van de bestseller *Kapitaal in de 21ste eeuw*, aan het Nederlandse parlement. Een 'rockster' volgens NOS, *Elsevier* en het *FD*. NOS-verslaggever Bert van Slooten wist tegenover de held niets anders uit te brengen dan 'Welkom in Nederland, meneer Piketty. Wat is uw boodschap aan het parlement?'

De VVD wil niks weten van Piketty's oproep om vermogen zwaarder te belasten, maar even maakte dat niet uit. *De Telegraaf* stikte er bijna in: 'Kamerlid Moors bedelde zelfs om een handtekening van de econoom.'

Nederland is een klein land. Het wordt altijd nog een beetje kleiner wanneer er iets groots langskomt.

Piketty is een fenomeen. En fenomenen betekenen altijd iets. In dit geval lijkt me duiding niet moeilijk. Decennialang al kampt links met een gebrek aan een verhaal. De arbeider stierf uit, de ideologische veren werden afgeschud, de derde weg bleek een enkeltje neoliberale hel. Engagement werd lifestyle, ballonnen oplaten voor een betere wereld. Het linkse discours verdween achter de muren van de universiteit, waar het zwaar geïmpregneerd raakte met sociologisch jargon.

Sociaaldemocratie werd eens in de vier jaar een man met een roos aan de deur, die meteen daarna trots voor de camera vertelde dat hij naar je geluisterd had.

Waar was het brede linkse verhaal? Bij de mastodonten van de PvdA, die bij iedere nieuwe vernederende nederlaag hun sleetse gelijk kwamen halen? De generatie-Samsom was nu juist vastbesloten af te rekenen met haar voorgangers, aangemoedigd door Wouter Bos in *de Volkskrant*.

Het gebrek aan frisse ideeën in die partij wordt bij iedere nieuwe klaroenstoot van Samsom nog eens pijnlijk onderstreept. Zijn toespraak voor de ledenraad van zijn partij vond ik om te huilen – alleen waren mijn tranen van een ander soort dan die de PvdA-leider wilde opwekken. Het was één lange stroom lege sentimenten ('tegenslagen overwinnend, fouten herstellend, gestaag voortgang boekend. Ook als het moeilijk wordt'). Heel erg was zijn imitatie van de krokodillentranen van Hillary Clinton tijdens de primaries van 2011 – 'ik had er even geen zin meer in.' Ten slotte werd Samsoms gehandicapte dochtertje weer ingezet. 'In mij stormt het.'

Naast verdrietig werd ik ook een beetje onwel. Hoeveel berekening kan een mens verdragen? Denken de sociaaldemocraten echt dat ze de partij op deze manier weer smoel kunnen geven?

Geen wonder dat Piketty in Nederland de nieuwe held van links is. Tegenover de holle frases van de sociaaldemocratie is de formule r>g een wonder van concreetheid. Tégen de groeiende ongelijkheid – belast het vermogen méér en arbeid minder. En het wonder is dat je maatschappelijk solidariteit afdwingt zonder dat je daarvoor het systeem omver hoeft te werpen. Het kapitalisme hoeft niet te worden afgeschaft – een hele opluchting voor links. Je krijgt het beste van twee werelden.

Is het genoeg? In zijn sprankelende geschiedenis van de mensheid, *Sapiens*, legt historicus Yuval Noah Harari in een handomdraai uit waar het om gaat. De afgelopen eeuw hebben de overheid aan de ene kant en de markt aan de andere steeds meer taken op zich genomen waarin vroeger door kleine gemeenschappen werd voorzien. Daardoor is het gevoel van maatschappelijke samenhang, van gemeenschap, uitgehold. Alle populistische politiek, links en rechts, gaat precies daarover – dreigend verlies van maatschappelijke samenhang. Het is de blinde vlek van de huidige generatie sociaaldemocraten in Nederland. Vandaar dat ze Wilders vrij spel blijven geven.

Het lijkt me evident dat gemeenschapszin ondermijnd wordt door groeiende economische ongelijkheid. Maar, en dat lijkt me de hamvraag, krijg je die samenhang weer terug wanneer je het vermogen van de rijken zwaarder gaat belasten?

Wat voor de een solidariteit is, heet bij de ander rancune.

Critici van Piketty stellen dat hij in het verkeerde land op bezoek was. Wij kennen al een lange traditie van nivelleren, de kapitaalkloof is hier minder groot dan in veel andere landen. Lijkt me juist – en toch hebben wij net zoveel, of misschien wel meer, te maken met groeiend wantrouwen tussen de klassen, met een diep gevoeld gebrek aan maatschappelijke coherentie.

R>g?

Als nieuw geloof is het schamel.

Kinderfeest

‘Laten we nu weer gezellig doen,’ sprak de Amsterdamse burgemeester Van der Laan, nadat hij volgens de Raad van State Zwarte Piet dit jaar terecht niet verboden had. Niemand die het wilde horen; de uitspraak van de hoogste bestuursrechter deed het vuur van de nationale woede alleen maar hoger oplaaien. Een anti-Piet-activiste kondigde vastberaden de volgende stap aan: het Europees Hof voor de Rechten van de Mens. Cineaste Sunny Bergman vergeleek de stoomboot met een slavenschip. Aan de andere kant van de barricaden: PVV-Kamerlid Martin Bosma verkondigde dat dit nog maar het begin was van de oorlog om Zwarte Piet. De PVV wil de onveranderlijke zwartheid van Piet nu per wet tot in de eeuwigheid laten vastleggen. Actrice Tanja Jess, die op televisie haar bezwaren tegen Zwarte Piet uiterst helder verwoordde, werd in de sociale media het doelwit van virulente haat – inmiddels ook al een echt oud-Hollandse traditie.

Intussen wordt het *Sinterklaasjournaal* beter bekeken dan het *NOS Journaal*. Dat in een aflevering een witte piet opdook, deed de verbale burgeroorlog opnieuw hoog oplaaien.

Nee, gezellig zal het niet meer worden.

In een ideale wereld ontgroeit een samenleving haar eigen stereotypen en vooroordelen; wat vroeger normaal en vanzelfsprekend leek, blijkt op weg naar de toekomst plotseling ongepast of zelfs pijnlijk. Hier en daar hoor je ook in de burgeroorlog om Zwarte Piet nog zulke geluiden: geef het tijd, bewustwording dwing je niet per rechterlijke uitspraak af; ook zonder suffe politiek correcte stroopwafel-Piet kan een Hollandse negentiende-eeuwse traditie in de eenentwintigste eeuw blijven voortbestaan.

En verder is het sop de kool niet waard. Pijnlijk dat een hele natie zich verliest in hysterie over een kinderfeest. Wij zijn redelijke mensen in een land dat gek is geworden.

Maar gaat het wel om het sinterklaasfeest? Gaat het wel over het aanpassen van een racistisch stereotype? De inzet lijkt me veel groter; het gaat om miskenning. Het gaat om minderheden – niet alleen zwarte – waarvan steeds wordt geëist dat ze mee moeten doen, maar die tegelijk te verstaan wordt gegeven dat ze er niet bij horen. Het gaat om verzet tegen een stugge vorm van zelfgenoegzaamheid, die zich van geen kwaad bewust wil zijn. Die verander je niet door Piet ineens groen te schminken.

In *de Volkskrant* vertelde presentatrice Zarayda Groenhart wat een tv-baas tegen haar zei bij een sollicitatie: 'Je bent zwart, maar je hebt geen accent. Voor de kijkers is dat verwarrend. Het zou beter zijn als je een soort Tante Es was.'

Noem die man een racist en hij zit boven op de kast. Maar dit soort incidentjes raken, denk ik, de kern van de kwestie beter dan Sints stoomboot met een slavenschip vergelijken.

Het klassieke antiracisme is te vaak zijn eigen parodie. Hoogtepunt tot dusver was het boos weglopen van de fractieleider van GroenLinks in Amsterdam-Zuidoost bij de opening van het Nelson Mandelapark, omdat een door scholieren gemaakt standbeeld van de Zuid-Afrikaanse held hem te veel aan Zwarte Piet deed denken. Dat is geen antiracisme, maar narcisme.

Door zulk vertoon wordt waar het om gaat hopeloos aan het zicht onttrokken. Deze week maakte de FNV zich boos over een actie van uitzendbureau Lugera, dat zich specialiseert in tijdelijke werknemers uit Oost-Europa. Dat had een seminar georganiseerd, met aan het eind een leuke verrassing: 'Er worden tien gratis uitzendkrachten verloot door een van de sprekers tijdens de afsluitende informele gezellige netwerkborrel.'

Werd het toch nog gezellig! Proef die zin, heel die onnadenkende, opgewekt Hollandse botheid ligt erin besloten. De mentaliteit die erachter steekt zit dieper dan welke expliciete vorm van racisme dan ook. Het is de onwil om buiten de eigen kleine kring te kijken, zich rekenschap te geven van de beleving van anderen. Die tien Slowaakse arbeiders die verloot werden, waren toch niet aanwezig op de gezellige netwerkborrel. Ze zijn in alle opzichten ondergeschikt.

Het werd een relletje: vragen in de Tweede Kamer en *PowNews* op het seminar. In een eerste reactie verklaarde een woordvoerder nog dat de actie 'ludiek' bedoeld was. Maar naderhand was het uitzendbureau eigenlijk best tevreden over het schandaaltje: 'En de verloting van de uitzendkrachten? Ook voor Lugera geldt het adagium “negatieve publiciteit is ook publiciteit”.’

Niets geleerd. Als Zwarte Piet toch blijft, mag dan ook de roe weer terug?

•

Noem me meester!

'Op je knieën, noem me meester en smeek me je te kussen.' Nog een: 'Zorg dat ze zich schuldig voelt, verneder haar, beschouw haar als je bediende.' Dit zijn geen zinnen uit de sadomasoseller *Fifty Shades of Grey*, maar uit het repertoire van datinggoeroe Julien Blanc – en daar hebben we meteen het probleem. Het is geen erotische fantasie, maar een echte 'versiertruc', een van de vele die onvolkomen mannen wordt geleerd tijdens Blancs seminars, waar je honderden dollars voor moet neertellen om je 'game te pimpen'.

Kort samengevat: 'Duw gewoon haar hoofd op je pik.'

Overal klinken protesten tegen Blanc en zijn organisatie, die ook in Nederland workshops had gepland. Moet je een man toelaten die andere mannen leert hoe je vrouwen denigreert, hoe je zo snel mogelijk hun weerstand breekt? Halverwege zijn Australische tournee werd Blancs visum ingetrokken. Ook is hem de toegang tot Engeland geweigerd. In Nederland ligt er een petitie op het bureau van de minister van Justitie.

Een staat wordt geacht zijn burgers te beschermen – maar waartegen precies? Tot waar kun je gaan? Als Blanc wordt geweigerd, moet dan ook *Fifty Shades of Grey* uit de handel worden genomen? Over dat literaire fenomeen heeft de Britse schrijver Tim Parks opgemerkt dat het de duistere krochten van de seksuele verbeelding acceptabel maakt voor een groot publiek – er wordt een vrouw vernederd en vastgebonden, maar omdat het met contractueel vastgelegde wederzijdse instemming gebeurt, kun je er zonder schuldgevoel opgewonden van raken. Het is het ideale compromis tussen verlichte opvattingen en verborgen verlangens; tussen slecht en saai ligt het burgerlijke stout.

Voor Blanc en zijn geestverwanten zit de opwinding juist in de afwezigheid van instemming. Vrouwen willen overmeesterd worden, denken ze, zelfs door sukkels die 1600 euro aan een seminar van Blanc hebben uitgegeven. Dat waanbeeld kun je triest en abject en zelfs gevaarlijk vinden. Moet je het verbieden?

De afgelopen decennia is ons idee van democratie en vrijheid steeds meer samen komen te vallen met ons idee wat goed en verlicht is. Iedereen gelijkwaardig, iedereen respectvol naar de ander toe, een steeds verder opgerekte empathie met wat vroeger als oneigenlijk, minderwaardig of bedreigend werd gezien. En een tijd lang leek het alsof iedereen netjes in dezelfde richting bewoog, allemaal op weg naar de verlichte samenleving, vrij van racisme, discriminatie, uitbuiting, misbruik, klassenbewustzijn, vooroordeel en vrouwenhaat.

Dat de werkelijkheid achterblijft bij de verwachting – steeds opnieuw blijkt het een akelige verrassing. Vrijwel alle ophef gaat daarover: hardnekkige homofobie in het voetbal, onverbloemd racisme in de sociale media, groepjes die plotseling helemaal niet van plan zijn op gepast verlichte wijze te 'integreren', maar afgedwongen gelijkwaardigheid van alles en iedereen juist als een aanval op hun gevoel van eigenwaarde zien. Steeds vaker gaat het over het recht op ongelijkheid.

Wat als vrije burgers hun democratisch recht opeisen om sociaal conservatief te zijn, mannen en vrouwen niet gelijk, homo's weer buiten de maatschappelijke orde, de idealen van de Verlichting als kwalijke aberratie?

De verwachting dat een pluriforme samenleving tegelijk ook volkomen homogeen zou worden, achteraf gezien lijkt het verdacht veel op een naïeve heilsverwachting. De ontnuchtering veroorzaakt een groot onbehagen – wat te doen met haatpredikers, neonationalisten, neoconservatieven, neoreligieuzen en neomacho's, en al die anderen die hun vrijheid gebruiken om vraagtekens te zetten bij het gelijkheidsideaal, of dat verwerpen of vervloeken?

Dat een fenomeen als Julien Blanc gemakkelijk wereldwijd de krantenkoppen haalt, geeft al aan dat hij geen minieme ontsporing is in een wereld die verder op de goede weg is. Hij is bedreigend, vanwege de weerklank die hij lijkt te vinden. Cynisch exploiteert hij verlangens die recht tegen het verlichte wereldbeeld in gaan. Dat is de beschaafde wereld die de komiek Sacha Baron Cohen een aantal jaren geleden al ontmaskerde met zijn typetjes Borat en Brüno. Iedereen acht zichzelf verlicht, maar krab aan het oppervlak en er komt veel troep naar buiten.

Blanc is geen Borat, hij meent het echt. Hij is een stresstest voor onze seculiere, pluriforme, democratische samenleving. Hij verdient fel protest, maar geen verbod. Hij stelt onze gedeelde overtuigingen op de proef. Dat toelaten is geen bewijs van zwakte, maar van kracht.

•

Haatcabaret

Slecht én goed nieuws voor moslims. In de Tweede Kamer riep de PVV weliswaar op alle moskeeën te sluiten, wat eigenlijk betekent dat alle moslims Nederland uitgezet moeten worden, aangezien 'de Nederlandse eigenheid, identiteit en cultuur [...] via immigratie en de baarmoeder om zeep worden geholpen'.

Maar dan het goede nieuws: vrijwel tegelijkertijd verkondigde de Turkse president Erdoğan opnieuw dat het moslims waren die Amerika hebben ontdekt: in zijn reisverslag had Columbus het immers over een moskee, ergens aan de kust van het hedendaagse Cuba! Erdoğan wil op die plek een nieuwe moskee neerzetten. Turken die het een onzinverhaal vinden, in elkaar gefrommeld door religieus-nationalistische historici, hebben volgens de Turkse president een groot egoprobleem: 'Geloof me, ze moeten ons niet.'

Haat en waan – voor wie het nog niet doorheeft: we beleven de hoogtijdagen van de nieuwe Contraverlichting. Bedreigde eigenheid, gefnuikte identiteit, vijanden die de waarheid verborgen willen houden – het zijn politieke jokers die overal gretig worden ingezet.

Vrijheid is er om ingeperkt te worden, gelijkheid om als leugen te worden ontmaskerd, verschillen moeten benadrukt worden. Cultuur is een stalen harnas om je te beschermen tegen vuige aanvallen van een vijandige buitenwereld. Als die er niet is, verzin je hem gewoon.

Ze moeten ons niet – de mantra van onze tijd.

Politiek is het verbluffend vruchtbare grond. Kijk naar het haatcabaret dat door Nederland en Turkije werd opgevoerd. Het vertrek van de twee Turks-Nederlandse Kamerleden en het gebrekkige Motivaction-rapport over IS-sympathieën onder jonge Nederlandse Turken was voor Ankara aanleiding onmiddellijk de racismekaart te trekken en het vuur van de Turkse miskenning op te porren. In alle kwaliteitskranten werd weinig subtiel gesuggereerd dat Lodewijk Asscher op zijn beurt de ruzie met de Turkse regering gebruikte voor politiek gewin – zijn partij zit hopeloos aan de grond en de weggestuurde Turkse PvdA'ers spelen de vermoorde onschuld.

Dat kan best, maar critici die Asscher opportunisme verwijten, sluiten hun ogen voor de onderliggende spanning. Er staat wel degelijk iets op het spel. In de tijd van Job Cohen heerste in de PvdA het idee dat integratie van minderheden iets anders was dan totale culturele aanpassing. Anders gezegd, om Nederlander te zijn kon je ook best een beetje Turk blijven. Integratie betekende, godzijdank, geen volledige assimilatie.

Een fraaie opvatting – jammer dat er niks van over is. Wiens schuld is dat? Van de PVV, van radicale moslims, van Erdoğan? In de afgelopen week viel het woord integratie nog vaak, maar wie weet nog wat het betekent? De twee Kamerleden waren, zo blijkt uit menige reconstructie, vooral op de lijst gezet om de Turkse achterban binnen te halen, maar ze moesten vertrekken omdat ze de Turkse achterban bedienden. In de fractie botsen liberale Nederlandse Turken al jaren met de religieus-nationalistische Nederlandse Turken, net als in Turkije zelf. De zogenaamde 'lange arm van Ankara' kan gemakkelijk aanleiding zijn voor spookverhalen over een vijfde colonne, maar ontkennen dat er door Turkije een actief nationalisme over de eigen grenzen heen wordt bedreven, lijkt me niet minder naïef.

Ziedaar de worsteling van een politicus als Asscher: zijn idee van integratie, iedereen een echte Nederlander met behoud van culturele achtergrond, dreigt in precies het omgekeerde te veranderen.

De tegenstelling tussen openheid en bedreigde eigenheid zorgt voor spanningen in zowel Nederland als Turkije. In Nederland woedt strijd over wat een Nederlander moet zijn, in Turkije over wat een goede Turk is – geen wonder dat vrijwel niemand meer een idee heeft wat integratie nu eigenlijk is.

Asscher kan protest aantekenen tegen de ondoorzichtige doelstellingen van Turkse organisaties die 'de integratie' zouden belemmeren, maar de PVV is zelf net zo ondoorzichtig en koestert inmiddels extremere ideeën dan Erdoğan. Mogen autochtone Nederlanders wel de PVV aanhangen en Nederlandse Turken niet Milli Görüs? Als Nederlanders vrijuit neonationalistisch mogen zijn, mag Nederlandse Turken dat recht ontzegd worden vanwege 'gebrekkige integratie'? Als publicist Thierry Baudet mag roepen dat mannen en vrouwen fundamenteel ongelijk zijn, mogen Nederlandse Turken dat dan niet?

Het oude idee van integratie veronderstelde de mogelijkheid van een gedeelde identiteit. Dat ideaal lijkt morsdood.

Ik vind dat een tragedie.

•

Meer filosofie!

Volgens het SCP zijn we op dit moment doodsbang voor Islamitische Staat, maar volgens mensen die het weten kunnen is dat een lachertje. Ons bedreigt een veel groter gevaar. Robots.

Eind 2014 waarschuwde minister Lodewijk Asscher dat robots de arbeidsmarkt veroveren. Ze zijn 'goedkoop, snel, nooit ziek, werken 24 uur per dag, vragen nooit om loonsverhogingen, worden niet vertegenwoordigd door vakbonden en staken niet'. Asscher maakte zich vooral zorgen over de dreigende werkloosheid van laaggeschoolden wanneer robots het eenvoudige werk overnemen. Maar het duurt niet lang meer of je wordt beter geopereerd door een machine dan door een chirurg. Iedereen wordt bedreigd.

En dan? Hoe gaat onze maatschappij eruitzien?

Daarachter liggen nog veel heftiger doemscenario's klaar. De Britse natuur- en wiskundige Stephen Hawking voorspelde een catastrofe – in de toekomst zullen robots niet alleen werk overnemen, maar alles. Wanneer machines voor zichzelf gaan denken, kunnen ze de mens gemakkelijk overtroeven – en zelf nog weer intelligentere systemen ontwikkelen. Voor je het weet is de mens compleet overbodig geworden. Hawking vindt dat we vast koloniën op andere planeten moeten stichten om de robots op tijd te kunnen ontvluchten, wat zijn waarschuwing helaas meteen weer in het domein van de sciencefiction plaatst – leuke gedachte om mee te spelen, maar nu eerst maar eens voorkomen dat her en der de sharia wordt ingevoerd.

Maar ook Tesla-oprichter Elon Musk waarschuwt steeds voor een opstand van de machines. En in zijn bestseller *Superintelligence* roept de filosoof Nick Bostrom op kunstmatige intelligentie te 'vullen' met menselijke waarden, zodat we in de toekomst niet geconfronteerd worden met geniale machines die er een onmenselijke logica op na houden.

Maar welke menselijke waarden?

Nieuwe technologie stelt ons voortdurend grote ethische vragen. Wat is juist, wat is eigenlijk menselijk, wat is natuurlijk? Hoever mag je gaan?

In *NRC Handelsblad* verscheen een uitdagend opiniestuk van Annemarie Haverkamp, moeder van een ernstig gehandicapte zoon, waarin ze zich verzet tegen het bijna 'pastorale beeld van inschikkelijke gehandicapten die per definitie lief, vrolijk en simpel zijn'. Er is nu een verbeterde prenatale test beschikbaar, waardoor chromosomale afwijkingen bij een ongeboren kind gemakkelijker (en veiliger) kunnen worden vastgesteld. Hoe populair programma's als *Down with Johnny* en *Down for Dummies* ook zijn, wanneer ouders te horen krijgen dat hun kind waarschijnlijk met Down geboren zal worden, besluiten de meesten tot abortus. Maar volgens critici koersen we af op een *brave new world* zonder menselijke oneffenheden. Het is ook al mogelijk een aangeboren neiging tot gewelddadig gedrag te detecteren – meteen ingrijpen dus?

In zijn boek *The Meaning of Human Existence* zegt de wereldberoemde bioloog Edward O. Wilson het onomwonden: de wetenschap kan niet zonder de 'humanities', de geesteswetenschappen. De humaniora zijn geen geldverslindend, onnuttig vermaak voor mensen die zichzelf ergens op een vluchtstrook langs de maatschappelijke snelweg hebben geparkeerd. Door middel van technologie wordt de mens tot meester van de evolutie – hoe gaan we die vormgeven? Wilson: 'Wanneer robots ons steeds meer werk uit handen nemen en beslissingen nemen, wat blijft er over voor mensen om te doen? Willen we echt biologisch concurreren met robots door middel van hersenimplantaten en genetisch verbeterde intelligentie en sociaal gedrag?'

Het zijn de grote vragen van deze tijd – en de zogenaamde kenniseconomie zal er geen antwoord op geven. De huidige regering lijkt volkomen in de ban van de idee van technologie als motor van de economie. Alles wat niet instrumenteel gebruikt kan worden geldt als overbodige luxe. Die kennis in kenniseconomie is louter technisch, geen diepere beschouwing van de dilemma's die van alle kanten op ons afkomen.

Uitzoeken wat het betekent om mens te zijn, doe je maar in je vrije tijd.

Aan de Nederlandse universiteiten staan de geesteswetenschappen onder druk. Dat is even stupide als schandalig – volgens de wetenschapper Wilson zouden juist alle studenten filosofie als bijvak moeten volgen: ‘Het bestuderen van de relatie tussen wetenschap en de geestwetenschappen zou de kern van alle onderwijs moeten zijn.’

Niet minder filosofie, méér filosofie. Geen luxe – noodzaak.

Kleine mensen

Elkaar vasthouden, niet bang zijn – even, heel even, leek het alsof de terreur in Parijs op een mislukking was uitgedraaid. Ja, een groot deel van de redactie van *Charlie Hebdo* was vermoord, maar het blad kwam een week later gewoon uit, in een oplage honderd keer groter dan gewoonlijk. Ja, de profeet was gewroken, maar in Europa en daarbuiten stonden moslims op die trots hun geloof terugeisten van religieuze gangsters. Ja, redacties van kranten moesten beveiligd worden, maar de meeste aarzelden geen moment met het publiceren van de spotprenten die het mikpunt van terreur waren. In plaats van angst en tweespalt was er vastberadenheid en eenheid.

Een dag of drie.

De eerste barst zag je toen zo veel regeringsleiders arm in arm door Parijs marcheerden, vrijwel allemaal met kilo's boter op hun hoofd als het ging om het beschermen van de vrijheid van meningsuiting. Daarna ging het snel. Met de minuut stilte wilde het op sommige Franse scholen niet lukken. Vervolgens werd de komiek Dieudonné aangehouden omdat hij op Facebook 'Je me sens Charlie Coulibaly' had gezet, verwijzend naar de terrorist die mensen in een koosjere supermarkt had vermoord – wat toch onder de vrijheid van meningsuiting valt.

Ook in Nederland hield de eenheid geen stand. Als je elkaar de maat niet meer kunt nemen, waar moet je dan over twitteren? Waarom ik geen Charlie ben, waarom jij al helemaal geen Charlie bent, waarom wij nooit Charlie kunnen zijn, de aanvallen op onze nationale hypocrisie waren al snel niet meer te tellen. In de Tweede Kamer volgde, als op afroep, de 'botsing' tussen Wilders en Samsom. Sybrand Buma van het CDA, hongerig naar de zetels van de PVV, eiste dat moslims feller afstand zouden nemen van hun extreme geloofsgenoten. Op televisie en in kranten verklaarden moslims weer dat ze er doodziek van werden almaar te moeten verklaren dat ze afstand namen van islamitische terreur.

Hans Teeuwen sla ik even over.

Dan de paranoia. Een verder gezellige Amsterdamse moslim verklaarde tegen mij dat IS-leider Abu Bakr al-Baghdadi een jood was, dat wist toch iedereen? In mijn mailbox belandden verklaringen over de aanslagen in Parijs: een inside job, net als 9/11. En *Charlie Hebdo* was in handen van zionisten die een oorlog tegen moslims willen ontketenen. Nee, het zijn de Amerikanen.

Het is perverse mediawijsheid: achter de vreselijke werkelijkheid gaat een gruwelijker waarheid schuil, *the truth is out there*, maar die wordt ons onthouden door mensen met belangen. Na de aanslag op vlucht MH17 hebben verdwaasden een nieuwe kluif.

'Het venijnige van terreur is de ontwrichting van de samenleving door het zaaien van angst,' zei PvdA-Kamerlid Ahmed Marcouch tegen het *AD*. 'Meisjes die achter de kassa hard zitten te werken voor hun brood en opeens te horen krijgen: "Schaam jij je niet dat je hier nog steeds met je hoofddoekje zit?" Dat is precies wat die terroristen willen: dat we zo met elkaar omgaan.'

Ik heb respect voor Marcouch, maar wat hij beschrijft is geen angst. Ik zou zeggen: terreur wil onze samenleving ontwrichten door het zaaien van woede.

En ik heb de indruk dat dat aardig lukt. De terroristen in Parijs en Jemen waren behalve slecht ook slim; door de aanslag op *Charlie Hebdo* moet de vrijheid van meningsuiting verdedigd worden door het keer op keer tonen van spotprenten die door veel gelovige moslims als krenkend worden ervaren. Nu dat in een miljoenenoplage gebeurt, waarvoor duizenden mensen in de rij gaan staan, wordt wat bedoeld is als het verdedigen van vrijheid voor iedereen, breed opgevat als het ongeremd *bashen* van een minderheid. Onvermijdelijk, maar leg het maar eens uit. Het resultaat: meer woede.

In *de Volkskrant* toonde Luz, de tekenaar van de mooie prent voor op de *Charlie Hebdo* van deze week, zich bewust van deze valstrik. De tekeningen in zijn blad hebben nu een symbolische lading 'die niet in onze tekeningen zit en die ons enigszins overstijgt'. Dat is niet *Charlie Hebdo*, zegt hij, en dan volgt het meest zinnige dat ik over de hele ellende las: 'Het is onze taak als cartoonist om het kleine van de mens centraal te stellen, het idee te vertolken dat we allemaal kleine mensjes zijn en dat we het daarmee moeten doen.'

Wie heeft de moed om klein te zijn?

Heavy nieuws

Welke boodschap de eerstejaarsstudent Tarik Z. (19) voor ons en de wereld had toen hij de studio van de NOS binnendrong en tien minuten zendtijd eiste, krijgen we waarschijnlijk niet snel te horen, maar alles wijst op een tragisch gevalletje (eigen)waan. Zelf verklaarde hij tegen de portier: 'De dingen die gezegd gaan worden, dat zijn wel heel grote wereldzaken. Wij zijn, zeg maar, ingehuurd door inlichtingendiensten en daar hebben wij zaken vernomen die de huidige samenleving in twijfel trekken. Die gaan wij nu naar buiten brengen.'

Tja. Schokkend aan die tekst was eigenlijk alleen dat hij me zo vertrouwd voorkwam. Tarik heeft vast een stoornis, maar hij is ook een moderne jongen – de narcistische aanspraak op een verborgen waarheid, de hysterische hyperbool, de zucht naar de sensationele onthulling, in het mediatijdperk is dat gemeengoed geworden. Het postmoderne besef dat de waarheid niet bestaat, heeft niet geleid tot een sceptische, behoedzame omgang met nieuws, maar tot een oneindige verkaveling van de waarheid. Het neerschieten van de MH17, de aanslagen in Parijs, het ware gezicht van Islamitische Staat: iedereen mag zijn eigen versie koesteren.

Wie uniek wil zijn, ziet in de officiële versie van het nieuws slechts van bovenaf opgelegde leugens, die ontmaskerd dienen te worden. De ontmaskeraar neemt geen genoegen met bescheiden kanttekeningen. Hij beschikt immers over een diepere waarheid. Zaken die, zoals Tarik het zo treffend verward uitdrukte, 'de huidige samenleving in twijfel trekken'.

Tarik kon, als we de berichtgeving mogen geloven, heel goed Michael Jackson nadoen. Op Facebook speelde hij Leonardo DiCaprio in *Inception*. Donderdagavond speelde hij de goede terrorist die de wereld verlossing kwam brengen. Het was Edward Snowden *meets* de broers Kouachi. Niet echt, maar wel net echt. Tarik Z. deed niet, hij deed na. Zolang er maar een camera op stond.

Dat de mensen van de NOS niet zagen dat ze niet met een terrorist maar met een parodie op een terrorist te maken hadden, kun je hun niet kwalijk nemen. Al een halfjaar werden er aanslagen in Nederland voorspeld, er was de slachtpartij in Parijs en bovendien was het nepwapen van Tarik, volgens de politie, 'niet van echt te onderscheiden'. Dat Tarik geen jihadist was, zei ook niks. De moordenaar van Els Borst, die ook nog zijn zuster vermoordde, is juist tot zijn waan gekomen door zijn angst voor islamitische terreur. Zonder ideologie kun je ook gevaarlijk zijn. En achteraf is het gemakkelijk relativeren. Er was genoeg om bang voor te zijn.

Des te groter de bewondering voor de portier van de NOS-studio die met zijn verbluffende nuchterheid de waan van de jongen deed verkruimelen. Het was een voorbeeldig staaltje conflictbeheersing. Ook de agenten die hem overmeesterden, hielden zich fraai in.

Jammer dat dat niet voor het *NOS Journaal* zelf gold. Toen het voorbij was, en ook duidelijk moet zijn geweest dat er van echte dreiging geen sprake was geweest, gaf hoofdredacteur Marcel Gelauff alsnog vol gas. Het optreden van de student was vastgelegd en Gelauff besloot onmiddellijk tot uitzending van de beelden. 'Dat was een eigen besluit, daar heb ik niet met anderen over gediscussieerd.' Geen twijfel: 'Ik wist meteen: dit is heavy nieuws, ook in de context van de hele veiligheidsdiscussie. Hier is iets unieks gebeurd in de Nederlandse televisiegeschiedenis. Dit móeten we uitzenden.'

Niks mooier dan een nationale ramp die geen nationale ramp is. Je kunt er heel dramatisch over doen ('dit nieuws zal de wereld over gaan!'), want je hoeft geen echt bloed op te dweilen.

Dat de jongen met zijn plastic pistool achteraf wellicht tegen zichzelf beschermd moest worden (of anders de in beeld gebrachte agenten), was voor Gelauff geen overweging: 'Soms gaat nieuwswaarde vóór privacy. Zeker als er iets gebeurt wat de samenleving zó breed raakt.'

Huh? Heavy nieuws, uniek in de televisiegeschiedenis, dat de samenleving breed raakt; ziet Gelauff zelf niet hoezeer zijn overspannen hyperbolen lijken op die van Tarik Z.?

Tarik Z. lijkt me vooral het product van een zelf vergrotende mediacultuur, die door het soort praat als dat van Gelauff wordt aangejaagd. Dankzij de hoofdredacteur van het *NOS Journaal* kreeg hij alsnog zijn felbegeerde televisieoptreden. Hopelijk brengt het anderen niet op gedachten.

•

Grote jongens

Onthullend aan de affaire rondom VVD-Kamerlid Mark Verheijen, die na een publicatie in *NRC Handelsblad* toegaf gerommeld te hebben met declaraties, waren de reacties van zijn eigen partij. 'Karaktermoord,' meldde de VVD. Het gaat immers om 'heel dunne kleine feitjes'. 'Nogal opgepompt,' oordeelde minister-president Rutte. Fractieleider Zijlstra sloot zich daar haastig bij aan. Ook de voorzitter van de VVD-Limburg deed een duit in het zakje. Hij sprak van een 'heksenjacht'.

Dit was geen wrijven in een vlek. Dit was schrobben.

Zelf reageerde Verheijen met die mengeling van bluf en nerveuze deemoed die zijn politieke loopbaan kenmerkt. Toen Geert Wilders na de slachtpartij van Breivik in de slachtofferrol schoot twitterde Verheijen: 'Waren we toch bijna vergeten dat HIJ natuurlijk grootste slachtoffer is van Breivik.' Excuses volgden terstond. In 2014 verklaarde het Kamerlid dat wij meer te vrezen hebben van eurofielen dan van Europa-hatend extreemrechts. Opnieuw excuses: 'Van suggesties als zou Guy Verhofstadt erger of gevaarlijker zijn dan Marine Le Pen neem ik nadrukkelijk afstand.'

Toen volgde de Venlose affaire, door *Elsevier* aan het licht gebracht. Vastgoedman Piet van Pol, kompaan van de van corruptie verdachte Jos van Rey, kreeg ruim baan bij de bouw van een bioscoopcomplex, nadat hij een flink bedrag in de partijkas van Verheijen had gestort. *Elsevier*: '[Verheijen] zegt niets te weten van de bedragen die Van Pol voor VVD-campagnes betaalde, ook al had hij hem een bedelbrief gestuurd. Hij zegt dat hij als lijsttrekker geen tijd had na te gaan van wie het geld voor zijn campagne kwam. "Daarvoor moet je bij de campagneleider zijn."' Op de vraag of Van Pol het destijds zo kan hebben opgevat dat hij moest betalen voor Verheijens campagne om in Venlo de bioscoop te mogen bouwen, zegt Verheijen: 'Noem mij naïef, maar ik ben integer.'

In 2012 dineerde hij in een peperduur restaurant met de toen al omstreden Jos van Rey en Piet van Pol. 'Ik ben redelijk laat aangeschoven, heb me met de keuze van het restaurant niet bemoeid. [...] Had het anders gekund en gemoeten? Ja. Wijn van 127 euro past niet bij de soberheid die van een bestuurder gevraagd wordt. Ik was niet op de hoogte van de prijs van de wijn.' Niettemin declareerde Verheijen een kwart van de totale dinerkosten van 2631 euro, want het etentje was eigenlijk een soort werkoverleg tussen 'de gezamenlijke partijen die de ontwikkeling van Roermond Midden-Limburg en de provincie in totaliteit waarborgen'.

Heerlijke zin. Heel die hardnekkige Limburgse *sleaze* is erin samengevat. Aan het diner zaten onder anderen de zoon van Van Rey, de zoon van Piet van Pol, zijn schoonzoon en zijn beveiliger. Inderdaad: 'Heel kleine dunne feitjes.'

Verheijen is niet meer te redden – hoeveel excuses kan een politieke carrière verdragen? Het beeld dat oprijst, is dat van een kleine jongen die te graag meedoet met de grote jongens.

En de grote jongens? Waarom hangt er rondom te veel VVD-bestuurders een sfeer van gesjoemel en belangenverstrengeling? De laatste keer dat in deze partij een fris idee langskwam is niet meer te achterhalen – de liberalen hebben John Stuart Mill lang geleden ingeruild voor het Stan Huygens Journaal. Het enige nog levende dogma lijkt te zijn dat de overheid zich zo ver mogelijk dient terug te trekken, dan komt het vanzelf goed met de samenleving. Bestuurders zijn er dan vooral om commerciële partijen te faciliteren – en dat is precies de verdediging die de vanwege corruptie veroordeelde VVD-gedeputeerde Ton Hooijmaijers aanvoert: 'De overheid moet een serviceloket zijn voor het bedrijfsleven.'

Dat is ook de verdediging die het omstreden automatiseringsbedrijf Ordina aanvoert voor het jarenlang trakteren van bestuurders op skyboxuitjes: 'Ook als dat ambtenaren zijn, is het niet per se ongepast. Dat is normaal geaccepteerd vertier met klanten.'

Het is dus geen ontsporing, het is een mentaliteit. Wanneer het idee van een publieke zaak wordt losgelaten en de leider van je partij er prat op gaat geen visie te hebben op wat een samenleving zou moeten zijn – dan is het enige wat die leegte nog kan vullen een fles wijn van 127 euro.

Revolte

Dat de affaire-Verheijen voor zijn partij zo snel heeft kunnen uitgroeien tot een 'ramp' (*De Telegraaf*), geeft aan dat er meer aan de hand is dan een gedeclareerde fles wijn van 127 euro. Maar wat precies? Onze minister-president Mark Rutte zit er erg mee, aldus een prominente partijgenoot tegen dezelfde krant, 'want Rutte is zelf juist heel zuiver met declaraties'.

Alsof dat aparte vermelding behoeft.

Er zouden ongetwijfeld nog meer onthullingen gevolgd zijn, het fluistercircuit zoemde en gonsde. Maar zo interessant is dat allemaal niet. Interessanter is de vraag waarom juist deze man als politieke belofte gold. Ambitieus, snel opgeklommen, grote toekomst binnen de partij – het is opvallend dat in de portretjes van de VVD'er die nu overal opduiken niets inhoudelijks wordt vermeld. Waar stond Mark Verheijen voor, behalve voor een nieuwe bioscoop van Piet van Pol? Wat waren zijn grootse plannen voor de partij waarin hij zo snel omhoog klom, wat wilde hij veranderen, wat was zijn – sorry, Mark – visie?

Ik ben er niet achter gekomen. Ik had Verheijen zijn dure wijn gegund wanneer dat tot een paar oorspronkelijke ideeën had geleid, maar ik heb ze niet kunnen vinden. De man van de toekomst was vooral een man van de partijlijn. Zijn bijzondere talenten waren de talenten van de zuivere carrièrepoliticus. Voor zo iemand is besturen ondergeschikt aan netwerken. Voor zo iemand is een dagje skûtsjesilen wel degelijk zinnige arbeid – want verder is er niet zoveel.

Geen wonder dat Rutte en Zijlstra aanvankelijk met foute bravoure deden voorkomen alsof er niets mis was. In hun ogen is dat waarschijnlijk ook zo. Binnen de *bubble* van het politiek bedrijf gaat het om klein bier. We hebben het tenslotte niet over gillende corruptie van het soort dat de Engelse politiek teistert, waarbij grote namen bereid waren tegen forse betaling bedrijfsbelangen te promoten. Een peperduur dinertje, een dubbele declaratie, een paar oneigenlijke ritjes met de dienstauto – er zullen veel politici en bestuurders zijn geweest die, toen eenmaal duidelijk werd dat de onthullingen over Verheijen zich niet zomaar lieten weghonen, snel hun eigen administratie zijn ingedoken.

Het gevaar bestaat nu dat we de komende maanden van schandaaltje naar schandaaltje hollen en moeten blijven lezen over klein gesjoemel, helemaal tot aan het niveau van de legendarische oerwoudsauzen van Jan Kees de Jager.

Overkill leidt dan vanzelf tot relativering en vermoeidheid. Is het allemaal niet wat overdreven? Waar gehakt wordt vallen spaanders, vergissen is menselijk en is het toch niet allemaal een kwestie van populistische rancune?

Dat zou jammer zijn. Wat de affaire-Verheijen en vooral het gedrag van Rutte en Zijlstra laten zien, is een politiek-bestuurlijke klasse die volledig op zichzelf betrokken is geraakt. Men vertegenwoordigt het volk niet, men vertegenwoordigt elkaar. Dat iedere bestuurlijke elite op zichzelf gericht raakt, is een constante in de geschiedenis. Dat gaat een tijd goed, totdat men het zicht op de samenleving verliest en de maatschappelijke dynamiek niet langer scherp ziet. Dan volgt het omslagpunt – de affaire-Verheijen is, tragisch voor Verheijen zelf, zo'n omslagpunt.

Over de Nederlandse bestuurlijke elite heb ik een theorie: die elite is open, het gaat er meestal niet om wat je vader deed, je kunt van ver komen en toch meedoen, zie bijvoorbeeld Gerrit Zalm. Maar omdat die elite zo open is, spreekt je plaats nooit vanzelf. Je zult altijd moeten bewijzen dat je erbij hoort. En dat maakt die open elite juist weer gesloten, bij uitstek conformistisch en opportunistisch, bevolkt door onzekere mensen die bang zijn buiten de boot te vallen. Zie bevoorbeeld Gerrit Zalm.

Vandaar dat heilige geloof in 'netwerken'. Wanneer men buiten zijn eigen, kleine wereld moet treden gaat het mis: je zag het aan de verkeerde toon die rasbestuurder Louise Gunning aansloeg tegen de bezetters van het Maagdenhuis. Ongetwijfeld geldt zij in haar eigen wereld als intelligent en een manager van formaat. Maar door al dat besturen blijkt het bewustzijn ernstig vernauwd. Juist tegenover de studenten voor wie ze het zou moeten doen, gedraagt ze zich als een gepikeerde gouvernante. Haar houding verschilt niet wezenlijk van die van Rutte en Zijlstra.

De groeiende revolte tegen die houding lijkt me niet alleen onvermijdelijk, maar ook noodzakelijk.

Kwaad geweten

Aandoenlijk, die brede golf van begrip en sympathie die de opstandige studenten van de Universiteit van Amsterdam overspoelt. Echt iedereen, lijkt het, voelt inmiddels hun pijn. In de eerste plaats minister Bussemaker: 'Het is heel erg dat studenten hun universiteit ervaren als een fabriek.' Ook talloze universitaire docenten verklaren zich nu solidair met het verzet tegen het doorgeschoten 'rendementsdenken'. En zelfs wetenschappers die zelf niets te klagen hebben, die fluitend onderzoeksgeld binnenharken en tot hun pensioen gebeiteld zitten, betuigen hun steun: 'De negatieve gevolgen van het denken in termen van kwantiteit in plaats van kwaliteit, van controle in plaats van vertrouwen, en van uniformering in plaats van creativiteit worden steeds meer zichtbaar, zowel voor onderwijs als onderzoek.'

Hier en daar klinkt een tegenstem, maar vooral van mensen die in hun eigen studententijd gruwelijk links zijn geweest en van de daaropvolgende schaamte een carrière gemaakt hebben. Het sentiment gaat richting studenten – rendementsdenken, gatver, je wilt er niet dood mee gevonden worden. Volgens publicist Rutger Bregman zijn de universiteiten 'ver afgedreven van hun oorspronkelijke idealen, toen het nog om nieuwsgierigheid, creativiteit en Bildung ging'. Zelfs Louise Gunning, de geplaagde collegevoorzitter van de Amsterdamse universiteit, laat steeds gepijnigd weten dat haar hart eigenlijk naar haar studenten uitgaat.

Als iedereen aan de goede kant staat, hoe heeft het dan zo fout kunnen gaan? Als het markt- en rendementsdenken zo voorbijgaat aan waar het werkelijk over zou moeten gaan, hoe heeft het dan zo overheersend kunnen worden?

Het is de hamvraag. Hij resoneert tot ver buiten de muren van de universiteit. Niet toevallig bood de Wetenschappelijke Raad voor het Regeringsbeleid Bussemaker een rapport aan, waarin gesteld werd dat ook in de kunsten het rendementsdenken absurde vormen heeft aangenomen. 'Bij het toekennen van kunstsubsidies,' vatte NRC *Handelsblad* het rapport samen, 'moet de culturele waarde van kunst vooropstaan en niet de vraag wat het maatschappelijk en economisch nut ervan is. [...] Zo is de heersende opvatting dat cultuurbeleid kan bijdragen aan welzijn en gezondheid, economische groei, innovatie en werkgelegenheid. Maar het effect daarop van kunst en cultuur is zelden wetenschappelijk te onderbouwen.' Daarom moet gewoon weer de *culturele* waarde van kunst en cultuur tot maatstaf worden gemaakt.

Maar hoe deed je dat ook alweer? De afgelopen decennia is de taal waarmee we immateriële waarden uitdrukken, ernstig verschraald. De vertegenwoordigers die moeten opkomen voor die waarden hebben zich laten verleiden tot het spreken van managementtaal, de taal van meetbaarheid – dat gaf immers veel meer houvast dan het zoetsappige, zweverige taaltje van nieuwsgierigheid en creativiteit, van verheffing en wat zo waardevol en toch zo weerloos is. Dat laatste was te vaak het excuus van luie handophouders en wazige creatievelingen, toch?

Ik herinner me een debat in Paradiso waarin de toenmalige Amsterdamse wethouder Geert Dales triomfantelijk verkondigde dat wanneer je geld voor de kunsten wilde krijgen, je in geen geval over de intrinsieke waarde van cultuur moest beginnen – dan kon je het wel schudden. Dat gold toen als verfrissende nuchterheid. Inmiddels is deze VVD-bestuurder allang ten onder gegaan aan zijn eigen rendementsdenken. Maar zijn manier van denken is gemeengoed geworden.

Kijkcijfers, oplagecijfers, bezoekersaantallen, clickbait – met de mond belijden we keurig dat die cijfers natuurlijk niet de essentie raken. Maar wat de essentie dan wel is, daar hebben we nauwelijks woorden meer voor. De taal van de cijfers is de enige overgebleven gemeenschappelijke taal.

In discussies met publiek over dit onderwerp leg ik wel eens de volgende vraag voor: stel, u staat voor een schilderij – geen beroemd doek, maar wel van een beroemd kunstenaar, laten we zeggen een niet zo bekende Picasso. Wanneer we willen praten over de waarde van dat doek, waar heeft u het dan het liefst over? Over de artistieke waarde, wat het met u doet, wat u erin ziet, wat ermee wordt uitgedrukt over mens, geest, wereld? Of heeft u het liever over marktwaarde, wat het zou opbrengen op de veiling van Sotheby's? Artistieke waarde of marktwaarde?

Het antwoord laat zich raden. Iedereen wil het over de intrinsieke waarde van het schilderij hebben. Dat we intussen in een maatschappij leven waarin altijd en overal het tweede antwoord wordt gegeven, dat verklaart ons kwade geweten.

•

Grote mond

Nadat een tweede verdachte in de Valkenburgse loverboyzaak zelfmoord had gepleegd, liet het Openbaar Ministerie weten dat de verdachten – ongeveer vijftig mannen die in een hotelkamer betaalde seks zouden hebben gehad met een zestienjarig meisje – na hun verhoor psychische hulp konden krijgen. Dat was ineens een heel andere toon. Toen het nieuws naar buiten kwam, had een woordvoerder verkondigd: 'Menig huwelijkspartner zal verrast worden door de politie aan de deur.'

Die woorden waren, verklaarde het OM, door de media opgeblazen. De mannen zouden telefonisch worden 'uitgenodigd voor een gesprek'. Bij niemand was de politie aan de deur geweest.

Waarom dan eerst zo'n grote mond? De woorden van de woordvoerder waren niet opgeblazen, maar gretig opgepikt. Ze vertolkten de *gut reaction* die de meeste mensen gehad zullen hebben. Het meisje slachtoffer? Dan jullie ook, schoften. Ik dacht zelf niet anders.

Maar is het OM er om mijn gevoelens te vertolken? Men wilde gezag uitstralen door mee te gaan in een stemming. Toen het vervolgens uit de hand liep – twee doden in een maand – werd haastig een andere toon aangeslagen. Bovendien bleek de ferme taal gebakken lucht.

Een herkenbaar patroon: je zet een grote bek op om te laten zien dat je dicht bij het volk staat, belooft *shotgun justice*, en daarna ben je alleen nog maar bezig te verhullen dat de werkelijkheid ingewikkelder is. De schade voor het OM is groot. Dat de aandacht nu uitgaat naar psychische hulp voor de vermoedelijke daders, kan niet de bedoeling zijn geweest.

Dit patroon werkt als een boemerang. Hij kwam ook hard terug in het gezicht van Rutte en Dijsselbloem toen het duo in 2014 verontwaardiging veinsde over de naheffing uit Brussel – dat ging zomaar niet – tot bleek dat het voor helemaal niemand een verrassing was en er ook gewoon betaald ging worden. De regering eiste op hoge toon openheid van zaken, maar uit vrijgekomen stukken blijkt dat men uit alle macht Brussel probeerde te bewegen geen openheid van zaken te geven. Dan zou immers de schrijnende kloof tussen schijn en werkelijkheid aan het licht komen.

Een patroon. Eerder was er de geveinsde verbazing van Dijsselbloem over de flinke loonsverhoging bij de staatsbank ABN AMRO. Hij baalde ervan, zei hij, terwijl die van tevoren was afgestemd met zijn ministerie, ter compensatie van de door hemzelf stoer aangekondigde aanpak van de bonuscultuur.

Ook na de aanslag op de MH17 werd spierballentaal gebruikt ('de onderste steen'). Inmiddels is van officiële zijde zo veel bureaucratische mist verspreid, dat je met zekerheid kunt voorspellen dat je over een aantal jaren oud-bewindslieden en ambtenaren voor een speciale commissie zult zien getuigen. Maar dan kan het toch niemand meer wat schelen.

Ferme uitspraken, gespeelde flinkheid, de belofte van 100 procent genoegdoening en zodra de winst van het volksgevoel binnen is, snel een rookgordijn optrekken over de lastige, weerbarstige feiten. Het resultaat is een sfeer van permanente onoprechtheid, verhulling als politiek stijlmiddel.

Het lijkt me ook de steen waarover *crimefighter* Fred Teeven struikelde. Waarom was zijn Teeven-deal zo brisant? Ging het echt om de hoogte van het bedrag? Was het echt die 'politieke doodzonde', het verkeerd voorlichten van de Kamer door Opstelten, omdat het onvindbare bonnetje plotseling toch gevonden werd? Was hij echt het slachtoffer van de duistere 'krachten' contra de VVD, door minister Schippers schaamteloos behendig in het leven geroepen?

Welnee. Wat verdoezeld werd, is dat Teeven zijn grote woorden steeds niet waarmaakt. Een geaccordeerde deal met een crimineel, waarbij die bijna vijf miljoen gulden opstreek, zonder dat belasting werd betaald, past niet bij het imago van 'crimefighter'. Die deal met Cees H. was de weerbarstige realiteit. Anders kreeg de staat niks.

Na het debacle van de zaak-Dolmatov werd de politieke schuld weggeparkeerd in een speciale commissie. Ook nu weer. Politieke grootspraak eindigt in Nederland altijd in een nieuwe commissie.

Toen Teeven in zijn afscheidsverklaring verkondigde dat hij zijn deal gesloten had 'voor volk en vaderland', legde dat pijnlijk precies de kwestie bloot. Inzetten met overspannen retoriek en daarna lastige feiten onder het tapijt.

Vermoorde onschuld

Sentiment op z'n Amsterdams: nu ineens, wie had het verwacht, bekend is dat Willem Holleeder geen gezellige boef is maar een gevaarlijke psychopaat, speelt men hier en daar de vermoorde onschuld. Hadden we dat geweten! De organisator van de Holleeder-tour, die in de Jordaan langs het geboortehuis, de school en de stamkroeg van de crimineel voert, heeft de lucratieve attractie per direct stopgezet. Hij 'kan de tour echt niet meer verkopen nu we weten dat Holleeder kinderen heeft bedreigd'.

Principes gaan voor.

Ook Twan Huys, die de Amsterdamse crimineel in zijn College Tour een podium gaf waarop eerder Madeleine Albright en bisschop Tutu hadden gezeten, werd het doelwit van verontwaardiging. Zo publiceerde *de Volkskrant* een 'brief van de dag' waarin geëist werd dat Huys het Nederlandse volk zijn excuses zou aanbieden. Hij had de 1,3 miljoen mensen die gretig naar zijn gesprek met Holleeder hadden gekeken dit nooit mogen aandoen.

'Ik ben een bekende Nederlander, ik laat me door niemand uitkafferen,' schreeuwt Holleeder op een bandopname tegen zijn zus ('kankerhoer!'). Dat raakt onbedoeld de kern, want zijn faam heeft hij aan anderen te danken – aan de journalisten die maar over hem bleven schrijven, aan de kranten die hem en zijn scooter tot icoon maakten, aan alle kletsprogramma's die hem jarenlang over het paard tilden.

Dus wie werd er hier eigenlijk ontmaskerd, de 'psychopaat' Willem Holleeder of de samenleving die hem jarenlang tegen beter weten in mythologiseerde en sentimentaliseerde?

Er is niks briljants aan Willem Holleeder, niks dat onwillekeurig bewondering oproept wegens uitzonderlijke slimheid of ingenieuze misdadigheid. Zijn bekendste misdaad, de Heineken-ontvoering, stamt uit 1983 en hing van knulligheid aan elkaar. De rest bestaat uit afpersen en afrekenen.

In dat opzicht is hij een echte Hollandse held – je kunt constant met hem bezig zijn, zonder dat je tegen hem op hoeft te kijken.

Niet toevallig valt de 'ontmaskering' van Holleeder samen met de totale afbladdering van Bram Moszkowicz, die man die twintig jaar lang zijn advocaat was. Toen Moszkowicz in 2007 de verdediging van Holleeder moest neerleggen, werd er nog net geen extra Journaal ingelast. In de jaren erna waren de media verslaafd aan hem, zodat berichten over wangedrag en dubieuze praktijken als louter spelbederf werden gezien. Als Holleeder een bekende Nederlander was, wat was Bram Moszkowicz dan wel niet? Hij was alomtegenwoordig, niet alleen in de boulevardbladen. Bij Pauw en Witteman zat hij zo vaak aan tafel, schreef ik in die tijd, dat niet duidelijk was wie wie had uitgenodigd.

Op hetzelfde moment dat we via Holleeder op tape konden vernemen dat de relatie tussen de Neus en de Mosk niet helemaal was wat de media er indertijd van maakten ('De laatste jood die mij mijn geld afgepakt heeft, en iedereen in de maling heeft genomen, is Moszkowicz'), berichtte *De Telegraaf* dat de op alle fronten failliete Moszkowicz een nieuwe auto heeft: een Maserati Ghibli – een tweedehandsje, voor slechts 79.000 euro. Volgens de gewezen topadvocaat is de auto 'aan hem ter beschikking gesteld'.

En kijk, in de reacties onder het Facebook-bericht van de dealer niets van de gebruikelijke volkse rancune tegen graaiers en zakkenvullers: 'Good for you, Bram!' en 'Laat ze maar kletsen'. Het zullen afkickverschijnselen zijn – van een verslaving ben je niet zomaar af.

Nu zowel de Neus als de Mosk maatschappelijk op weg naar de uitgang gaat, zou een socioloog eens op zoek moeten naar de oorzaak van de publieke verheerlijking van types met een onmiskenbare narcistische stoornis. Iedereen kon het van mijlenver zien. Holleeder had 'psychopaat' op zijn voorhoofd staan. Je hoeft geen psycholoog te zijn om in Moszkowicz een behoeftige narcist te zien. Het heeft het jarenlange circus niet in de weg gezeten. Misschien slaan we bluf en intimidatie veel hoger aan dan we toegeven.

Zijn we er nu klaar mee? *Het Parool* meldt dat een neef van Moszkowicz bezig is aan een documentaire over zijn vader, die eveneens advocaat was en al in 2006 van het tableau werd geschrapt wegens hetzelfde soort misstappen. *Het Parool*: 'De jonge telg uit het bekende geslacht probeert antwoord te geven op de vraag waarom Moszkowiczen zulke hoge pieken en diepe dalen beleven: zijn ze destructief of hebben ze gewoon intense persoonlijkheden?'

Daar gaan we weer.

•

Haat

Zelden veroorzaakt nieuws zo veel morele verwarring: het schrijversprotest over de prijs die PEN International had toegekend aan *Charlie Hebdo* was nog in volle gang, toen het nieuws over de mislukte aanslag op de aanwezigen bij de Mohammed-tekenwedstrijd in Garland, Texas, over de schermen schoot. Wat te vinden? Moesten de schrijvers die het hadden opgenomen voor het gedachtegoed van *Charlie Hebdo* nu ook pal achter Pam *'This is war!'* Geller gaan staan? Hun motieven en intenties verschillen hemelsbreed, maar gewelddadige aanhangers van de radicale islam zal dat worst wezen. *Charlie Hebdo* is een spotter, Geller een hater – maar maakt dat uit wanneer je in de loop van een geweer kijkt? Wat als de aanslag in Texas gelukt was, zou men voor de slachtoffers ook massaal de straat zijn opgegaan?

Lastige vragen – en godzijdank mislukte deze slachtpartij. In Nederland werd de verijdelde aanslag op de geestverwanten van Wilders, die in Texas de prijs voor de beste Mohammed-tekening mocht uitreiken, dan ook alweer snel weggedrukt door belangrijker nieuws – een activist had een halfjaar geleden namelijk bij een demonstratie 'Fuck de koning' geroepen en dreigde nu vervolgd te worden. De enige keer dat ik deze activist zag optreden, moesten volgens hem politieagenten, Diederik Samsom, onderwijzers en journalisten gefuckt worden, iedereen dus eigenlijk, het is echt een thema voor hem. Of gewoon Tourette.

Maar door de PEN-affaire zijn wel degelijk principes op scherp gezet. In *The New York Times* verscheen een commentaar waarin onderscheid werd gemaakt tussen *Charlie Hebdo* en Pam Geller. Want *Charlie Hebdo* bedrijft 'openhartige satire op politici en religies, katholiek, joods en islamitisch'. Geller is een ander geval, volgens de Amerikaanse krant. Zij 'wentelt zich in aanvallen op de islam op een manier die herinneringen oproept aan virulent racisme of antisemitisme. Ze bereikte haar doel – uitdagen – in

Garland, met de aanval door twee moslims.'

Met die laatste zin heb ik moeite. Voor de meeste moslims in de VS is Geller – als ze haar al kennen – een te negeren hysterica, met wie ze hebben leren leven, zoals veel homo's met conservatieve homohaters, net als veel Nederlandse moslims met de uitgekiende krenkingen van Wilders. Het klimaat wordt er niet beter door, maar *what can you do*? Moslimorganisaties haastten zich na de verijdelde aanslag dan ook te verklaren dat Geller vrij was om te haten, ze moest vooral blijven doen wat ze niet laten kon.

Maar *The New York Times* lijkt te suggereren dat Geller het dreigende geweld vooral aan zichzelf te danken heeft. Als je iemand maar lang genoeg tart, gaat hij vanzelf wel bijten. Dat was helaas ook de suggestie die doorklonk in veel van de afwijzende reacties van schrijvers die tegen de PEN-bijeenkomst voor *Charlie Hebdo* protesteerden – heel erg wat er in Parijs was gebeurd, maar de provocaties van het satirische blad verdienden geen prijs, aangezien ze geen ander doel dienden dan het beledigen en schofferen van een groep die het toch al zwaar te verduren heeft.

Ik erger me daaraan. De humor van *Charlie Hebdo* is anarchistisch, gericht tegen alles wat zichzelf heilig acht – het verdwaasde gedachtegoed van de radicale islam was bepaald geen obsessie voor het blad, gewoon een van hun vele doelwitten. Terecht, lijkt me, als doorsneemoslims ergens last van hebben, is het van radicale islam. Veel van de schrijvers die zich tegen de PEN keerden, kunnen zich de radicale islam niet voorstellen als aantrekkelijke ideologie, vervuld van geweldsfantasieën en een hang naar extreme zuiverheid die onherroepelijk tot zuiveringen leidt – in hun geriefelijke, aan de Amerikaanse universiteiten opgebouwde wereldbeeld is het altijd de gevestigde orde die minderheden onderdrukt, en het hypocriete Westen dat uit naam van de Verlichting overal ter wereld dood en verderf zaait. Westerse hypocrisie is de vijand, niet de radicale islam. Voor die overtuiging kun je bewijzen genoeg vinden, maar als je niet oppast, ga je de broers Kouachi als slachtoffers beschouwen.

Activisten als Geller en Wilders wordt steevast verweten dat ze alle moslims op een hoop gooien, een terecht verwijt. Maar net zo kun je de bestrijders van de islamofobie, zoals de protesterende PEN-schrijvers, verwijten dat ze hetzelfde doen – door moslims per definitie als een homogene groep vertrapten af te schilderen. Dat is bevoogdend. Het laat de moslims die zich tegen de radicale onverdraagzaamheid binnen hun eigen geloof keren hopeloos in de kou staan.

•

Vuile was

In de spiegel kijken, het blijft moeilijk. Nadat in Ierland een ruime meerderheid van de bevolking voor het homohuwelijk had gekozen, reageerde het Vaticaan terstond met stevige duiding. Volgens kardinaal Parolin, na de paus de hoogste bestuurder van de rooms-katholieke kerk, was de uitslag 'niet alleen een nederlaag voor de christelijke principes, maar ook voor de mensheid'. Naarmate de argumenten zwakker zijn, worden de woorden groter: christelijke zondigheid voldoet niet langer. Het is de mensheid die zichzelf moreel ten gronde richt.

De kardinaal mag het vinden. Vreemd is het wel. Als er één instituut een morele nederlaag heeft geleden, is het wel zijn eigen kerk. Daar heeft zich tussen moraal en realiteit de afgelopen jaren een diep en donker ravijn geopend – het bekend worden van seksueel misbruik van kinderen op zo'n onthutsend grote schaal, zo hardnekkig ook, dat je niet langer van een misstand kunt spreken. De enige geloofwaardige conclusie moet wel zijn dat dit soort excessen uit de verkrampte aard van het religieuze instituut zelf voortkomen. Het is juist de ontkenning van de menselijke natuur die dit soort excessen in de hand heeft gewerkt.

In zo'n crisis kun je twee kanten op – proberen de harde, onverkwikkelijke werkelijkheid zo scherp mogelijk onder ogen te zien, waar de paus soms voor pleit. Of je schiet juist in een nog grotere morele kramp. Dan ga je het erkennen van de menselijke natuur, waar het Ierse homohuwelijk een prachtige uiting van is, aanklagen als een teken van algemene verdorvenheid.

In de spiegel kijken, het blijft moeilijk. In Marokko is de film *Much Loved* verboden, een film van de cineast Nabil Ayouch, waarin het leven van vier jonge prostituees in Marrakech wordt geschetst. In de Arabische wereld staat Marrakech bekend om zijn *high class* hoeren – het zijn naast rijke westerlingen vooral rijke Saoedi's die een weekendje hun driften komen uitleven waarvoor in hun eigen land iets zou worden afgehakt. Iedereen weet dat, maar je mag het niet laten zien – volgens het Marokkaanse ministerie van Communicatie is de film beledigend voor de Marokkaanse normen en waarden. Niet de harde werkelijkheid is een belediging van de Marokkaanse normen en waarden, maar het laten zien van die werkelijkheid. De vuile was buiten hangen is erger dan de vuile was zelf.

Ja, er komt bloot en seks in voor. Maar dat komt in de meeste levens voor. Als je geluk hebt.

De hoofdrolspeelster is met de dood bedreigd – en werd later op straat in elkaar geslagen. Het Bredase raadslid Jamal Nouhi, in 2014 uit de PvdA gegooid omdat hij de vervolging van homo's in Marokko met agressieve instemming begroette, liet op Facebook weten dat de filmmaker en die 'hoeren van actrices' wat hem betrof voor het gerecht moeten worden gesleept, omdat ze de goede naam van 'hardwerkende Marokkanen' besmeuren. *Kill the messenger.*

Er loopt, ben ik bang, een lijntje van dit soort hysterische ontkenning en de hang naar extreme zuiverheid van echte radicalen.

In Nederland overheerst eerder een omgekeerde cultuur. Wanneer het gaat om moraal en gelijkheid wordt hier met de mond de grootst mogelijke vrijheid bepleit. Ieder moralisme wordt afgedaan als een hinderlijke kramp uit het verleden – tot je even aan de oppervlakte krabt. Dan blijkt die verlichte moraal vaak zelfgenoegzaam. Uit het rapport *Wel trouwen, niet zoenen* van het Sociaal en Cultureel Planbureau blijkt dat het overgrote deel van de Nederlanders gelijke rechten voor homo's voorstaat – maar met het tonen van intimiteit in de openbare ruimte heeft een flink percentage moeite, van een zoen tot hand in hand. Die afkeer wordt altijd weggepoetst door de constatering dat men ook geen klef tongende hetero's wil zien, maar dat is meestal een hypocriete uitvlucht – net zoals er nog altijd mensen zijn die zeggen niets tegen homo's te hebben, maar dat dat seksuele exhibitionisme op die boten elk jaar echt niet hoeft (in werkelijkheid is die parade uitzonderlijk braaf).

De werkelijkheid lijkt me eerder dat een deel van de bevolking er, in tegenstelling tot de zelf uitgedragen verlichte denkbeelden, nog moeite mee heeft. Zoals een Italiaanse kennis die al een tijdje in Nederland woont, tegen me zei: 'In Italië mag ik niks, maar doe ik gewoon waar ik zin in heb. In Nederland mag alles. Maar o wee als ik het doe.'

•

Vieze smaak

Hollands drama in een notendop – Hans de Haan, voorzitter van de Gelderse VVD, dacht een statement tegen het ongezonde volksgevoel te maken, door zich tegen het door andere partijen afgedwongen tweedeklas NS-abonnement voor Statenleden te keren. Eén keer per week worden de Statenleden op het provinciehuis verwacht. Vroeger kregen ze daar een dure ov-jaarkaart voor, maar *das war einmal*. Niet alleen die kaart is hun afgenomen, ook de eerste klas. 'Onze mensen willen geen tweede klas reizen,' verklaarde hij pontificaal. 'Ik vind het eerlijk gezegd goedkoop en populistisch om hier een punt van te maken. De Statenleden werken hard en steken veel tijd in hun werk voor de provincie.'

Au. In de top van zijn partij blijkt inmiddels een heel andere wind te waaien. Wist De Haan veel, hij zat nog op de oude lijn. Zijn uitspraken, liet partijvoorzitter Henry Keizer weten, waren 'een VVD'er onwaardig'. Op Twitter verspreidde zijn partij een link naar de toespraak van premier Rutte waarin hij zich tegen het Dikke Ik en het graaien van belastinggeld keerde, vergezeld van een bijtend: 'Voor alle VVD'ers in Gelderland die de speech van Mark Rutte niet hebben meegekregen.'

Ik kreeg hem wel mee, die speech. Iedereen kijkt inmiddels door Rutte heen – zijn grootste talent is dat hij er totaal niet mee zit. In de affaire-Verheijen zat Rutte nog geheel op de lijn van Hans de Haan: berichtgeving over een gedeclareerde fles wijn van 127 euro deed hij af als 'opgeblazen' en een 'akkefietje'. Bij de ophef in april over de salarisverhoging bij staatsbank ABN AMRO verklaarde hij: 'Mijn partij staat wat meer ontspannen tegenover hoge salarissen.'

Ook in grote kwesties was er steeds de moeiteloze ommezwaai, het plotseling uitdragen van een moraal die eerst weggewuifd werd. Eerst werd er gekropen voor Vladimir Poetin, uit naam van de 'dialoog' en de handelsmissies (een paar maanden voor de aanslag op vlucht MH17: 'Onze relatie is zo goed dat we ook moeilijke onderwerpen kunnen bespreken'), nu kan de toon niet ferm genoeg zijn. In een lezing pochen op het ontbreken van iedere visie op wat de maatschappij moet zijn, een jaar later ineens gemeenschapszin prediken.

We weten het. Het heeft geen zin om alle inconsequenties op te sommen, je op te winden over de schaamteloosheid. Klagen over mensen die na het verlies van hun baan meteen een uitkering aanvragen, terwijl ze wettelijk verplicht zijn om dat te doen – het doet er niet toe. In dit universum zijn de woorden losgekoppeld van hun betekenis.

Moraal als effectbejag.

Ruttes politieke overlevingskunst kan in de media op steeds meer ontzag rekenen. Elk zichzelf respecterend medium kwam met een portret over het raadsel Rutte. Strekking: er valt met geen mogelijkheid een vaste kern in de man te ontdekken, maar hij flikt het toch iedere keer maar weer. Een fenomeen, consistent in zijn inconsistentie.

Dat is inderdaad knap – en de conclusie is dan ook steeds dat Rutte bij uitstek het type politicus voor onze tijd is. Meedeinend met de vluchtige emotie, inspelend op de woede van het moment ('De tweedeklas is prima!'), niet anders dan een spiegel van de wispelturige burger, die heen en weer geslingerd wordt door rancune tegen wie zich verheven waant en hunkering naar gemeenschapszin. Hij is, kortom, de premier die we verdienen. Als hij nog wil, krijgt hij binnenkort zijn derde kabinet.

Arme Hans de Haan – dat is de oude bestuurlijke klasse, die de volkse afkeer van bestuurlijke privileges beschouwt als een rancuneuze oprisping, waar je uit naam van 'onze mensen' niet zomaar aan toe moet geven. Maar het echte populisme komt nu vanuit zijn eigen partij.

Voorheen werd de noodzaak van een publieke zaak door Rutte stelselmatig ontkend en genegeerd; daar kon je het mee oneens zijn, maar het was een opvatting. Nu maakt onze premier zich boos over 'egoïsme' en 'hufterigheid'. Dat is geen voortschrijdend inzicht door talloze affaires en schandalen, de groeiende weerzin van veel mensen tegen een samenleving die als los zand aan elkaar hangt. Het is meebuigen met de tijdgeest, puur electoraal opportunisme.

Dat Rutte de kritiek op het soort maatschappij dat hij zelf tot nu toe altijd bepleitte, ineens uitdraagt alsof hij nooit anders heeft gedaan, besmeurt een oprecht verlangen. Dat geeft een vieze smaak.

Stoer

Ondertussen, in Nederland: Bart Suijkerbuijk, VVD-raadslid uit Steenbergen, keert zich in een open brief fel tegen zijn partijgenoot Klaas Dijkhoff, staatssecretaris van Veiligheid en Justitie. Die riep lokale bestuurders op extra opvang voor vluchtelingen beschikbaar te stellen. Dijkhoff had, nu de vluchtelingencrisis een humanitaire ramp dreigt te worden, 'stoere burgemeesters, wethouders en raadsleden nodig'.

Zo veel leiderschap schoot bij Suijkerbuijk in het verkeerde keelgat. 'Ik voel me inderdaad het stoere raadslid waarover u spreekt, maar ik hanteer wel een heel andere definitie. Stoer is niet weer 58 miljoen naar het buitenland sturen of 35.000 vluchtelingen toelaten. Stoer is vooral ook nee durven zeggen.'

Als er al moet worden opgevangen, aldus het raadslid, net als Dijkhoff begin dertig, dan ver weg 'met minimale en tijdelijke voorzieningen als bed, bad en brood'. En, let op, alleen voor 'de mensen die echt in nood verkeren'. Voorkomen moet worden dat steeds meer 'gelukzoekers op zoek naar uitkering en bijstand ons land als eindbestemming kiezen'.

Dat kun je stoer noemen – of benepen, bangig, egocentrisch en vooral verstoken van ieder reëel besef van de wereld voorbij de gemeentegrens Steenbergen. Maar het is wel het wereldbeeld dat veel liberalen het afgelopen decennium gecultiveerd hebben. Wat eens begon als een rechtse correctie op een vrij zwevend idealisme op links, dat stug bleef dromen van een wereld zonder grenzen waarin we elkaar zouden liefhebben vanwege onze gedeelde menselijkheid, is inmiddels ontaard in angstvallige smetvrees voor de grote wereld. Iedere vorm van solidariteit met onbekenden wordt weggeveegd met de constatering dat er misbruik van gemaakt gaat worden. Iedere aandrang om iets voor een ander te doen, wordt gefnuikt door de verlammende angst om als Gekke Henkie bekend te staan. We kunnen toch niet al het wereldleed op ons nemen!

Nog een citaat: 'Wij hebben het ook niet verzonnen, maar ervaring leert dat een asielzoekerscentrum overlast en criminaliteit met zich meebrengt. Winkeldiefstal, rondhangen, auto-inbraken, opstootjes.'

Dat is niet Suijkerbuijk uit Steenbergen in 2015, maar Klaas Dijkhoff in 2010. Als raadslid in Breda keerde hij zich in een opinieartikel fel tegen de komst van een asielzoekerscentrum. Tja. Nu moet Dijkhoff op zoek naar draagvlak dat hij eerst eigenhandig heeft ondermijnd.

'Het was een andere mening, in een andere situatie,' verklaarde de staatssecretaris tegen *De Telegraaf*. Maar dat is precies de mantra waarmee onze minister-president zijn gedraai probeert goed te praten. Het resultaat is dat geen enkel standpunt of geen enkele overtuiging nog als geloofwaardig wordt gezien. Vind je het gek dat die arme Suijkerbuijk uit Steenbergen zich genaaid voelt door zijn eigen partij?

De neoconservatieve journalist Irving Kristol beschreef zichzelf eens als 'a liberal mugged by reality' – waarbij je liberal als links moet lezen. Een ironische afrekening met sentimentele wereldverbeteraars, met hun naïef geloof in de mensheid, hun kostbare blauwdrukken voor een betere wereld die steeds stuklopen op de weerbarstige werkelijkheid. Maar inmiddels, en dat beseft Klaas Dijkhoff kennelijk ook, is het juist het zogenaamde nuchtere neoconservatieve wereldbeeld van Suijkerbuijk dat klap op klap van de werkelijkheid krijgt.

Stoer lijkt ineens verdacht veel op blind en onmenselijk – met 'gelukzoeker' als frame om ook op drift geraakte mensen aan hun lot over te laten. Pijnlijk dat er een hartverscheurende foto van een verdronken kind voor nodig is, maar het is de klap die de werkelijkheid uitdeelt aan de zelfgenoegzame Suijkerbuijk. Die luie borreltafelpraat over minimale opvang ver, ver buiten Nederland, alleen voor 'de mensen die echt in nood verkeren', ziet er ineens uit als het blind ontkennen van de harde werkelijkheid. Kláp: de opvang van duizenden vluchtelingen is een gegeven. We kunnen er maar beter snel werk van maken.

Intussen wordt de scheidslijn tussen nuchterheid en haat steeds dunner. De VVD royeerde een twintigjarige jonge Rotterdamse metrobestuurder in opleiding die op Twitter voorstelde vluchtelingen ‘in kampen met gaskamers’ te stoppen. ‘Beter dan dat al die makakken hierheen komen.’ De Rotterdammer werd ook weggestuurd door zijn werkgever.

Het is een onmachtige bezwering. Als Dijkhoff echt moreel leiderschap wil tonen, dan nodigt hij die geroyeerde VVD-jongen uit voor een stevig gesprek. Een stoere vent ruimt zijn eigen rommel op.

•

Humanisme

Alweer een droom vervlogen: in zijn memoires betuigt Geir Lundestad, oud-directeur van het Noorse Nobelinstituut, spijt over de toekenning van de Nobelprijs voor de Vrede aan Barack Obama in 2009. Niet dat het niet goed bedoeld was – de prijs moest een steun in de rug zijn voor de man die weer woorden als hoop en droom in de mond durfde te nemen. Dat het toen alleen woorden waren, Obama was nog maar net president, mocht niet deren: er klonk een immense belofte in door, de belofte dat mensen in staat zouden zijn hun verschillen opzij te zetten, elkaar te vinden in hun menselijkheid, grenzen te overstijgen, raciale, religieuze, nationale grenzen. *Yes, we can!* Waar was de Nobelprijs anders voor?

Lundestad: 'We dachten dat het Obama zou versterken, maar dat effect heeft het niet gehad.'

Eh, nee. Die Nobelprijs ziet er achteraf uit als een zelfgenoegzaam staaltje wishful thinking. De droom was gewoon te mooi om 'm te laten verpesten door de realiteit. De tegenkrachten zijn onderschat. Zes jaar later klinken de woorden hol, er wordt nog maar bar weinig gehoopt en gedroomd. In plaats van *Yes, we can!* klinkt overal *No, we won't!*

Wat zich als humanisme aandient, het streven naar gelijkheid, de oproep tot empathie, het geloof in tolerantie, wordt als naïef en verdacht afgedaan, een recept voor rampzaligheid. Vanwege de ruimhartige ontvangst van vluchtelingen noemde een rechtse Britse academicus Duitsland afgelopen week 'een hippiestaat die zich door zijn emoties op sleeptouw laat nemen'.

Maar de desillusie is overal voelbaar, zowel op links als op rechts: op links wordt het streven naar gelijkheid en rechtvaardigheid steeds meer als hopeloos afgedaan, het humanisme als een behendige leugen van witte machthebbers om overal ter wereld hun positie veilig te stellen. Op rechts gaat het gezonde wantrouwen tegen naïef idealisme over een betere wereld enkel richting verbeten cynisme.

De verscheurdheid binnen de Europese Unie over de opvang van vluchtelingen uit het Midden-Oosten voert rechtstreeks terug op de priemende scepsis van de ultrareactionaire denker Joseph de Maistre (1753-1821): 'Wel, in de hele wereld is er niet zoiets als de Mens te vinden. Gedurende mijn leven heb ik Fransen gezien, Italianen, Russen, etc. [...] Maar wat de Mens betreft, moet ik verklaren dat ik die nooit ben tegengekomen. Mocht hij bestaan, dan is hij aan mijn aandacht ontsnapt.'

Anders gezegd: de taal van het humanisme leidt altijd tot abstracties, die voorbijgaan aan de netelige werkelijkheid, die gaat over cultuur, geschiedenis, eigenheid. Het is gemakkelijk schieten, en dat doen populisten dan ook: je kunt de vluchteling als Mens binnenhalen, maar uiteindelijk is hij ook gewoon een Syriër, een moslim, een getraumatiseerde man of vrouw die in een hem onbekende cultuur terechtkomt. Nu al gaan verhalen rond over hulpverleners die wordt afgeraden te korte rokjes te dragen in aanwezigheid van vluchtelingen. Of die verhalen kloppen doet er eigenlijk niet toe. Het gaat erom dat de zorg, angst en hysterie die uit zulke verhalen spreken, niet weg te nemen zijn met een beroep op ons gedeelde mens-zijn. Soms lijkt het om manieren van naar de wereld kijken te gaan die elkaar nauwelijks overlappen – Wilders ziet enkel Nederlanders, GroenLinks ziet alleen Mensen. En Gerard Joling ziet alleen nog 'onze bejaarden'.

Zijn dat de enige smaken nog, paranoia en naïviteit? In een hoofdartikel sprak *The New York Times* schande van de weigering van Oost-Europese landen, Hongarije voorop, om vluchtelingen op te vangen. Opmerkelijk is dat de krant er niet onze gedeelde menselijkheid bij haalde, geen hoop, geen droom, maar de geschiedenis. Oost-Europa heeft een jammerlijk kort geheugen, terwijl veel landen daar 'zich onlangs nog de warme omhelzing van hun westerse buren lieten welgevallen en daar goed van profiteerden'. En: 'Het genereuze onthaal dat ze kregen toen ze zich weer aansloten bij de westerse democratieën was een grote triomf voor Europa.'

Mooie woorden, ook al was die omhelzing natuurlijk niet gespeend van eigenbelang. Maar wie zoveel heeft gekregen van Europa zal ook moeten geven, dat heeft niks met verdwaasd hippiedom te maken. Ik ben de achterkleinzoon van een joodse gelukzoeker uit wat tegenwoordig Oekraïne is – en in de toekomst zal ik deel uitmaken van Jolings 'onze eigen bejaarden'. Ook dat schept een morele verplichting. Dat is humanisme.

Paaipolitiek

Waarom bood de minister van Veiligheid en Justitie Ad van der Steur zijn excuses niet meteen aan aan professor George Maat, de onderzoeker wiens goede naam hij publiekelijk besmeurde na 'onthullingen' in de media? Omdat Maat tijdens een half besloten lezing over de werkwijze van het Landelijke Team Forensische Opsporing beelden getoond had waarop stoffelijke resten van passagiers van vlucht MH17 te zien waren geweest, werd hij aan de schandpaal genageld. De minister bestempelde zijn gedrag als 'buitengewoon ongepast en onsmakelijk'. De man werd op non-actief gesteld.

Nu is het beeld gekanteld – Maat hield zich wél aan de regels, voor zover die er waren, het beeldmateriaal bleek aangeleverd door het team dat hem daarna op non-actief stelde. Ook anderen hielden zulke lezingen. Dat Maat eerherstel krijgt, is slechts te danken aan hemzelf, aan de wetenschappers die het voor hem opnamen en aan de Kamerleden Omtzigt en Sjoerdsma – soms lijkt het of die twee als enigen echt oppositie voeren. Als Van der Steur een heer was geweest – maar Van der Steur is een beetje een nepheer. De minister: 'In voorkomende gevallen bij grootschalige en complexe identificaties wordt niet uitgesloten dat opnieuw een beroep zal worden gedaan op de expertise van professor Maat.'

Ach, nou ja, een incident – er is iedere dag wel ophef. Van der Steur dreigt alweer te struikelen over de foto's van Volkert.

Maar zet een hoop van zulke incidenten achter elkaar, en je ziet het patroon. Opgejut door #ophef doet de gevestigde politiek uitspraken en beloftes, die vervolgens niet hard te maken zijn. De gespeelde ontzetting van Dijsselbloem over de naheffing uit Brussel verschilt in niets van de ontsteltenis van Van der Steur over de lezing van Maat. Het is hetzelfde repertoire dat onze minister-president doet roepen dat er geen cent meer naar de Grieken gaat. Inmiddels is de naheffing allang betaald, is professor Maat weer aan het werk en gaat er nog eens 58 miljard naar de Grieken.

Wat doet dat met een samenleving? Er wordt nog steeds gedaan of het populisme een bedreiging vormt voor de rechtstaat – vorige week nog, toen Geert Wilders de Tweede Kamer een 'nepparlement' noemde. Wilders zit inmiddels bijna langer in de Kamer dan koningin Victoria op de troon heeft gezeten, maar zijn beschimpingen van de gevestigde orde vanaf de zijlijn lijken me niet het grootste gevaar voor het maatschappelijke vertrouwen.

Kijk naar de documentaire *Onder de oppervlakte* van Digna Sinke, die ook op televisie werd uitgezonden. Dit rustige relaas over de politieke perikelen rondom de voorgenomen ontpoldering van de Zeeuwse Hedwigepolder (ach ja!) laat terloops zien hoe Nederlandse politici zelf het vertrouwen in de politiek verder uithollen.

Dat de Zeeuwse polder teruggegeven gaat worden aan de natuur staat vanaf het begin vast – er is gewoon een verdrag met België ondertekend. Wat volgt is een jarenlange politieke soap, waarin door opeenvolgende kabinetten gretig wordt meegespeeld: draaien, vleien, traineren, sussen, liegen, nog maar weer eens een commissie, eerst wachten op het zoveelste rapport.

Je kijkt er met verbazing naar, hoeveel knulligheid kan een land verdragen? Totdat je doorkrijgt hoe het werkt. Balkenende, Verburg, Bleker, Rutte – deze generatie politici doet geen enkele poging het draagvlak voor die ontpoldering bij de Zeeuwen te vinden, maar probeert die zo lang mogelijk te paaien met beloftes en halve beloftes waarvan men *weet* dat die niet kunnen worden waargemaakt.

Dat Rutte het permanent verhitte Zeeuwse Statenlid Robesin voorhoudt dat de Hedwigepolder niet onder water zal worden gezet, zolang hij voor de Eerste Kamer maar op de coalitie van Rutte I stemt, is geen voorbeeld van de politicus die de oren laat hangen naar het volk. Zo wordt de invloed van het populisme immers altijd voorgesteld. Wat je ziet is iets anders: dat Statenlid – en alle boze Zeeuwen met hem – wordt op een handige manier genaaid.

Ja zeggen, nee verkopen. Er is iets besloten, maar men doet alsof het niet zo is. Er moet iets betaald worden, maar men doet net alsof het als verrassing komt. De minister weet dat het werk van forensische deskundigen geen kinderspel is, maar doet net alsof hij geschokt is. Daarna wordt er met veel omhaal en mist bakzeil gehaald. Het is deze paaipolitiek die de burger uiteindelijk steeds meer van de politiek vervreemdt.

•

Onze trots

Geen fijne tijd voor onze nationale trots: Kunduz onder de voet gelopen door de Taliban, opbouwmissie weggevaagd, de KLM aan de rand van de afgrond, een regering die keer op keer schoorvoetend moest toegeven de regie kwijt te zijn – over de spoorwegen, over justitie, over de politie, over de vluchtelingen. Het had allemaal nog goed kunnen komen als we Maerten Soolmans en Oopjen Coppit aan ons nationale erfgoed hadden kunnen toevoegen. Niemand die een jaar geleden van de twee Rembrandts gehoord had, maar nu waren ze plotseling heel erg van ons.

Gek eigenlijk dat we ervoor moesten betalen.

REMBRANDTS KOMEN THUIS.

Niks ervan. In een oogwenk sloeg de nationale euforie om in een nationale depressie. Ze komen, maar voorlopig nog niet en voor de helft Frans – net als de KLM, en we weten wat daarvan komt. Het voelt als een verloren finale, een afgeblazen Elfstedentocht, de jurk van Trijntje op het Songfestival. Eerst was er trots, nu is er alleen nog schaamte voor die trots.

De media geneerden zich voor hun zelfrijzend triomfalisme. Er werd hard afgerekend. Het Rijksmuseum heeft de huid verkocht voordat de beer geschoten was, minister Bussemaker heeft het verknoeid, verprutst, verknald. De Franse minister van Cultuur werd vorig jaar nog wereldwijd te kijk gezet omdat ze geen enkele titel van de Nobelprijswinnaar Patrick Modiano kon noemen. Dachten we nou echt dat ze zich nog een keer als cultuurbarbaar te kijk zou laten zetten?

Inmiddels zitten we in de onvermijdelijke fase van het vingerwijzen. Wim Pijbes, directeur van het Rijksmuseum, weigert zijn kring van superrijke Hollanders nog aan te spreken, die je kennelijk helemaal gek kunt maken met de belofte van postuum belastingvoordeel. De minister van Financiën siste eerst nog dat hij echt niet alleen die 80 miljoen ging ophoesten, maar slikte – we zijn het gewend –

zijn woorden weer in. Maar daarna bitste Bussemaker weer dat het Rijks best 'iets mag terugdoen voor de culturele sector'. De fractievoorzitters van 160 miljoen voelen zich intussen misleid, gepiepeld, genaaid.

We mogen blij zijn als dit geen parlementaire enquête wordt.

Een tijdje geleden schreef de Franse politicoloog Dominique Moïsi dat hij na een bezoek aan het Rijksmuseum geschrokken was van de nieuwe opstelling: neonationalisme! 'Het oude gebouw, dat een beetje versleten was geraakt, was een eerbetoon geweest aan de universele aantrekkingskracht van de grote schilders van het land, zoals Rembrandt en Vermeer. [Nu] brengt het nieuwe Rijksmuseum een heel andere boodschap over – eerder een viering van de Nederlandse kunst en geschiedenis.'

Wat is daar mis mee? Nationale trots heeft ieder land nodig, dat ziet Moïsi ook wel; om een trotse Europeaan te worden, moet je eerst een trotse Nederlander kunnen zijn. Maar het probleem is dat er nauwelijks trotse Europeanen meer zijn en dan begint zo'n uitstalling van nationale glorie verdacht veel op compensatie te lijken. Moïsi: 'Net als andere Europeanen doen zij een beroep op het verleden ter compensatie van de desillusies en frustraties van het heden, en de onzekerheden van de toekomst.'

Moïsi kreeg na zijn artikel Hollandse hoon te verduren (gaat een Fransman ons beschuldigen van chauvinisme!?), maar had hij niet een punt? Twee 'nieuwe' Rembrandts in het Rijksmuseum, ik spuug er niet op, maar het gevoel van deceptie dat nu overheerst, spreekt boekdelen. In een geslaagd Europa zou het gezamenlijk 'redden' van twee zulke doeken voor een algemeen publiek niets minder dan een triomf zijn geweest – gezamenlijke trots in plaats van nationale trots, geweldig dat twee landen in staat blijken peperdure kunstwerken te delen. Het Europese project is zo bedoeld; niet het opgeven van trots, maar het delen van trots. Anders dan de Franse minister van Cultuur heb ik wel zowat alle boeken van Modiano gelezen – zo werkt dat met goede kunst, die is zelf nooit nationalistisch.

Natuurlijk proberen alle betrokkenen de 'troostprijs' nu zo te verkopen, maar hun inzet was wel degelijk dat commercieel opgefokte neonationalisme, dat enkel nog in termen van money makende meesterwerken en topkunst denkt, enkel nog goede sier wil maken met onbetwiste nationale kroonjuwelen als het Rijksmuseum, het

Concertgebouworkest en, vooruit, het Van Gogh Museum.

Voor een Hondecoeter had Pechtold de fractieleiders niet opgetrommeld. Niet zozeer de deceptie over de deal met de Fransen zegt iets over onze nationale depressie, maar de kinderlijke euforie die eraan voorafging.

•

Zijn we sterk genoeg?

Waar is Mark Rutte? Overal klinkt het, alsof het plotseling tot ons is doorgedrongen dat onze premier toch niet de Vader des Vaderlands is die we in hem gezien hadden. Alsof we niet allang weten dat het er gewoon niet in zit. Alsof Rutte ons zelf niet allang duidelijk heeft gemaakt dat wachten op hem = wachten op Godot. Dat vlerkerig optimisme van hem, zo vaak geprezen in columns en profielen, richt zich alleen op de stralende kant van de globalisering – grenzen weg voor bedrijven, ontwikkelingshulp alleen als bijvangst in nieuwe afzetmarkten, heel die heerlijke nieuwe wereld van *corporate* kansen en mogelijkheden, als je ze maar durft te grijpen in dit waanzinnig gave land.

De donkere kant van de globalisering, de groeiende kloof tussen arm en rijk, de *failed states*, steeds feller wordende identiteitspolitiek, het groeiende fundamentalisme en radicalisme en de stroom vluchtelingen – hij blijft er ver van, met een aan smetvrees grenzende volharding.

Dáár is Mark Rutte. We weten het. Het krijgt dus algauw iets zwelgends, blijven vragen om wat je weet dat je toch niet zult krijgen. Trouwens, moreel leiderschap betekent niet dat de boel zal bedaren. Ergens in een tijdlijn zag ik Charles de Gaulle een paar keer voorbijschieten – De Gaulle was ongetwijfeld een leider. Maar er werden tijdens zijn jaren als president van Frankrijk ook veertien aanslagen op hem gepleegd. Veertien. Zover zijn we nog lang niet.

Hoever zijn we dan wel? In de sociale media is Armageddon alweer nakende. Schelden, dreigen, fout, racist, elite, tokkies, Gutmensch, Hitler, NSB, ratten, vergassen, ondergang, verzet – heel het sleetse Zwarte Pietrepertoire komt als op afroep voorbij.

In de bovengrondse media is de taal beschaafder, maar niet minder apocalyptisch: het debat is omgeslagen, het loopt uit de hand, het water staat ons aan de lippen, de grens is bereikt. Kijk, daar hebben we de veenbrand van Pim weer. Het land kent inmiddels meer politiek commentatoren dan bondscoaches. Leuzen en hakenkruizen worden op opvangcentra gekalkt. Er worden dode varkens neergelegd. Tijdens inspraakavonden wordt gejouwd en geduwd, bij de door Wilders aangezwengelde opstootjes keert de menigte zich tegen de eenling met welkombord. *Mob rule!*

Een wonder dat het tot nu toe bij een gebroken pols bleef. Het is de crisis als kippenhok. De overtreffende trap werd bereikt toen Emile Roemer een Edith Schippers deed. Alleen zouden dit keer de duistere krachten binnen de VVD zitten: het relletje in Oranje is volgens de SP-leider bewust door staatssecretaris Dijkhoff veroorzaakt, om vanaf nu een harde lijn te kunnen volgen.

Die maffe beschuldiging maakt de inzet van het debat mooi zichtbaar: het gaat, zoals meestal in Nederland, vooral om sociale strijd, je emoties uitleven op de ander die jou het leven zuur maakt. In *de Volkskrant* vroeg Réne Cuperus zich af waarom van alle Europese landen de haat tegen de asielzoekers in Nederland het hoogst oplaait, waarom hier het virulente populisme niet op de flanken blijft, zoals elders, maar ook heel het politieke midden laat oplaaien.

Dat is een goede vraag – ik zou er een vraag tegenover willen zetten. Hoeveel van die haat is virtueel, hoe diep zit die werkelijk? Zeker, het ziet er vanbuiten afzichtelijk uit, zowel de screenshots van de uitzinnige racistische geweldsfantasieën van die zogenaamd bezorgde burgers als het digitale misprijzen voor tokkies door de weldenkenden – maar dat is geen burgeroorlog, het is de ander de maat nemen, die ander die zich beter wil voelen over jouw rug ('Neem er dan zelf een paar in huis!'), de ander die zich goed wil voelen zonder voor de consequenties op te draaien – waarom moet Oranje 1400 vluchtelingen opnemen en Den Haag geen één?

Geef toe, woede is ook gewoon lekker.

Ik kan me vergissen, maar zit daaronder niet gewoon een vrij brede consensus? We kunnen niet aan de kant blijven staan, er is nood aan de man, we moeten vluchtelingen zo goed mogelijk opvangen, maar we weten ook dat er grenzen gesteld moeten worden, die moeilijk te bepalen zijn. We moeten nu doen wat we kunnen, op de lange termijn moeten er echte antwoorden komen. Zo wordt er in Oranje ook gedacht.

Die antwoorden geeft nog niemand op een overtuigende manier.

Dat maakt onzeker. Misschien zijn we niet sterk genoeg om in het heden te leven, schreef Saul Bellow eens in een brief. Laten we het proberen.

•

Lief zijn

PvdA-Kamerlid Ahmed Marcouch stelt voor om asielzoekers niet enkel taallessen aan te bieden, maar ze mee te nemen naar het Verzetsmuseum, de redactie van *Opzij* en het COC – om hen Nederlandse normen en waarden te laten 'beleven en ervaren'. Tegelijkertijd bericht *de Volkskrant* over een bezoek van de Liberaal Joodse Gemeente aan gevluchte Syriërs in een voormalige gevangenis in Amsterdam – met zang en muziek. Er was rekening gehouden met incidenten, dus had organisator Koos Koelewijn posters in het Arabisch opgehangen en bij de vluchtelingen geïnformeerd of ze misschien van plan waren antisemitisch te doen. Daar was geen sprake van. Men kwam zelfs met een plan 'bloemen uit te delen in een joodse buurt in Amsterdam'. Dat plan werd bijgesteld. Een gevluchte Syriër: 'Het zou geen goed signaal zijn, want we zijn álle Nederlanders erkentelijk.'

Hoe snel zo'n inburgering kan gaan.

Het bezoek bleek, na een aarzelend begin, een succes. Er werd 'gedanst onder aanvoering van mannen in Oranje-T-shirts'. Een van de bezoekers, Ron van der Wieken, voorzitter van het Centraal Joods Overleg, is overigens tegen de opvang van vluchtelingen in een Amstelveens kantoorpand, omdat in die buurt veel joden wonen. Dicht op elkaar, dat is ook weer niet de bedoeling, want wat doe je als de muziek stilvalt en de bloemen op zijn? Hij legde het zo uit: 'De opdracht aan ons, joden, luidt: wees barmhartig tegenover vluchtelingen. [...] Maar het is niet onze opdracht om naïef en dom te zijn. Laten we het risico van incidenten alsjeblieft zo klein mogelijk houden.'

We willen best lief zijn, maar we zijn natuurlijk niet gek.

Je kunt honend doen over de bevoogding van Marcouch en Van der Wieken, ze doen tenminste iets. Dat valt te prijzen. Maar die angst om naïef te zijn! Van der Wieken ziet het als een joods dingetje, door ervaring wijs geworden, maar het is die angst die de afgelopen weken overal de toon aangeeft, tijdens de inspraakavonden en op de opiniepagina's, in sociale media en praatprogramma's. Het is een verlammende angst, de angst dat de vluchteling misbruik maakt van onze goede bedoelingen, ons de kaas van het brood gaat eten, ons te kijk zet als Gekke Henkie. Alles liever dan dat. Dus lees je overal dat empathie een slechte basis voor beleid is. Dus wordt de houding van Angela Merkel ten opzichte van de vluchtelingencrisis 'sentimenteel' en 'moralistisch' genoemd – alsof de Drama Queen van ons asieldebat, Geert Wilders, niet bij uitstek sentimenteel is.

Als je je afvraagt waarom de gemoederen over vluchtelingen hier hoger oplopen dan in andere landen, is dit een antwoord: in het oververhitte vluchtelingendebat geven de angst van de ontnuchterde progressief voor een te rooskleurig mensbeeld en de oer-Hollandse angst dat een ander misbruik maakt van jouw goedheid elkaar een stevige hand. Het wilderiaanse sneren naar mensen die 'beertjes brengen naar azc's' vat goed samen wat je dan krijgt – beter afwijzend en cynisch dan sentimenteel en naïef. De terechte constatering dat we niet het leed van de hele wereld op onze schouders kunnen nemen, wordt dan algauw synoniem met je helemaal nergens meer iets van aantrekken, voor een bangige, claustrofobische, smetvrezerige blik op diezelfde wereld. Het is een wereldbeeld van niks, maar het wordt als moedig en realistisch voorgesteld.

'In Nederland worden zaken uitgepraat en niet uitgevochten,' sprak onze koning zorgelijk tijdens zijn staatsbezoek in China. Gelooft hij het zelf? In Nederland worden zaken uitgevochten door steeds luider langs elkaar heen te praten – kom je er met woorden even niet uit, doe een kogelbrief op de bus. Iedereen neemt elkaar de maat, niemand laat zich iets zeggen. In de oproep van de fractieleiders deze week om de toon van het debat te matigen, stond: 'Verwar dreigementen en beledigingen niet met argumenten.' Dat is niet het probleem. Het probleem is dat ieder argument als een persoonlijke belediging wordt opgevat. In Nederland krijgt niemand het voordeel van de twijfel.

Gezellig is het niet, die vergaande verzuring van de samenleving. Maar staan we aan de rand van de afgrond? Loopt het echt uit de hand? Tussen 2007 en 2014, werd onlangs bekend, daalde het aantal misdrijven in Nederland met 23 procent. Met. Bijna. Een. Kwart. Ik heb er niemand over gehoord.

•

Grote vragen

Het haar van Pieter Hilhorst, je kon er niet omheen. De gewezen presentator en columnist die faalde als Amsterdams wethouder en de PvdA een electorale afgang bezorgde, vertelde ter gelegenheid van de verschijning van zijn politieke memoires in diverse media dat hij zijn krullen had afgeknipt om als lijsttrekker geloofwaardig over te komen. Dat was een symbolische knieval geweest. Hilhorst: 'Ik heb altijd een wilde krullenbos gehad. Nu had ik me laten ompraten om mijn haar te knippen. Dat staat voor mij voor de gekortwiekte idealist.'

Toen Hilhorst voor de zoveelste keer over zijn haar vertelde, en ik begon te vermoeden dat zijn weeë narcisme hem misschien wel meer fataal was geworden dan zijn idealisme, dwaalden mijn gedachten onwillekeurig af naar het kapsel van Geert Wilders. Als we het toch over haar als handelsmerk hebben, dan heeft Wilders het beter begrepen dan de PvdA-adviseurs. Die geperoxideerde uitzinnigheid verbeeldt een permanent buitenstaanderschap in de politiek – ook al zit de man in de Kamer sinds het tweede kabinet-De Geer.

Behalve een lichte haarfetisj hebben de mannen nog iets gemeen: de boodschap dat het huidige establishment het contact met de samenleving kwijt is. Hilhorst: 'Ik werd in de verkiezingscampagne de vertegenwoordiger van zestig jaar rood regentendom, terwijl ik als ombudsman en als columnist me altijd tegen het regentendom heb gekeerd. Mijn hele politieke programma keert zich tegen: ik bepaal voor jou wat goed is.' Wilders, vrijdag in *de Volkskrant*: 'Het regime in Den Haag is wereldvreemd en spreekt niet langer namens het volk. [...] Daarom moet ons politiek bestel op de schop.'

Zeker, beide mannen staan een totaal andere samenleving voor. Hilhorst droomt van een nieuwe solidariteit tussen *empowered citizens* in een pluriforme samenleving en Wilders van een imaginaire, uniforme agressieve volkswil. Ik ben voor het eerste en tegen het laatste. Maar waar het om gaat is dat beiden de huidige gevestigde politieke orde als bijkans onoverkomelijk struikelblok voorstellen.

Van wie is de volgende uitspraak?

'Het is tijd om onze democratie te vernieuwen en zowel lokaal als nationaal de directe democratie in te voeren.'*

De afkeer van het politieke establishment komt nu van alle kanten, van links en rechts. Hoe gevaarlijk is dat? En gaat het om afkeer van een bestuurlijke elite die in zichzelf opgesloten is geraakt of gaat het om een bedenkelijke haat tegen het politieke bedrijf als zodanig? Gaat het om schoppen omdat schoppen zo lekker is, of schoppen omdat je de boel wilt vernieuwen? Kortom, gaat het om gevaarlijk nihilisme of de behoefte aan nieuw elan?

Bij de presentatie van de politieke memoires van Hilhorst over zijn één jaar wethouderschap ging oud-PvdA-leider Wouter Bos voor de zoveelste keer los tegen columnisten zoals ik, omdat die hun maatschappelijke taak zouden verzaken: u aan uw verstand brengen dat democratische besluitvorming noodzakelijk compromissen met zich meebrengt. Kritiek op de PvdA wordt in die partij steevast opgevat als kritiek op de politiek. Zowel Bos als Diederik Samsom heeft daar een antwoord op, dat inmiddels tot hun onmachtige mantra is geworden: salonpopulisme! Als ik u beter had uitgelegd dat politiek geven en nemen is, stond hun partij zeker hoog in de peilingen.

Dat Bos het zielloos pragmatisme van zijn partij, met als symbool zijn fatale kwartetspel tijdens de formatie van dit kabinet, nog steeds probeert te verkopen als voorbeeldig democratisch handwerk, illustreert de blindheid die Samsom deed mislukken als partijleider.

Het is dezelfde blindheid die ervan uitging dat de burger het wel zou snappen als de economie zou bijtrekken. Het is dezelfde blindheid die verwacht dat de kiezer weer vanzelf toestroomt als Samsom vlak voor de verkiezingen plaatsmaakt voor Asscher. Het is blindheid die ervan uitgaat dat Hans Spekman de partij alsnog

* Geert Wilders

smoel zal geven wanneer hij maar over zijn arme jeugd blijft vertellen.

Ze zien het niet. Samenhang, samenleving, gemeenschap – wat hebben wij in dit land met elkaar te maken? Wat zijn we elkaar verplicht, wat zijn we elkaar verschuldigd? Dat zijn de grote vragen die het politieke establishment stug blijft negeren – en het verklaart de groeiende weerzin zowel op links als op rechts. Het zijn de vragen die in het hart van de gevestigde politiek moeten worden teruggebracht. Met of zonder haar.

•

Angst

Ik ben in Parijs – voor Le Carillon en Le Petit Cambodge had de regen de meeste kaarsjes in de bloemenzee gedoofd. Er stonden slechts een paar omstanders, anders dan bij Place de la Republique verderop, waar tv-ploegen hun tenten hadden opgeslagen en jongeren hand in hand wat doelloos rond het monument bewogen, op zoek naar een ritueel. Hier was het stil. De natte bloemen, de kaarsen zonder vlam, het glanzende plastic om de foto's van de slachtoffers, de leuzen (*Paris is light!*) op verslapt papier en karton – er ging die avond, een kleine week na de aanslag, behalve een intense droefheid ook iets machteloos van uit.

Ik at met enkele Nederlandse journalisten in een restaurant op minder dan een steenworp afstand. Bij het afrekenen zei de eigenaar dat hij hun iets wilde vragen. Zij hadden heel Parijs doorkruist op zoek naar reacties en verhalen – wat was hun indruk? Hoe beleefden zijn stadsgenoten verschrikking? Een van de journalisten antwoordde dat hij echt angst tegenkomt. Er lijkt voorlopig wel degelijk een manier van leven aangetast. Mensen gaan niet graag hun huis uit. Het gezicht van de restauranteigenaar betrok. Zijn buurt was wél weerbaar – de gezamenlijke middenstand van de buurt had een lange tafel op straat opgesteld, vlak bij de plek van de aanslag. Mensen praatten, aten en dronken met elkaar. Dát is Parijs, zei hij. Hij leek er niet gerust op.

Kort na de aanslagen wordt vooral dat onbehagen voelbaar. Afgezien van de angst voor nieuwe aanslagen, komt een diepere onzekerheid naar boven – hoe sterk is de samenleving echt? De aanslagen blijken een stresstest. De journaliste Alexandra Laignel-Lavastine, die in de voorstad Seine-Saint-Denis woont, zocht na de aanslagen de jongeren in haar quartier op, in de hoop daar dit keer wel saamhorigheid aan te treffen. Niet dus – ze ontdekte dat veel jongeren nog steeds in een parallel universum leven. De moorden kónden niet door moslims gepleegd zijn, want 'un musulman, ça tue pas'.

De media verkondigen moedwillig leugens, er is een complot tegen de islam gaande. De Mossad, de Franse veiligheidsdiensten, zionisten, de joden – in dit gesloten wereldbeeld leek ook na deze gruwelen geen reflectie of mededogen doorgedrongen.

Deze jongeren waren, schrijft ze, net als trouwens de aanslagplegers, kinderen ten tijde van de aanslagen van 2001 – ze zijn opgegroeid in Frankrijk. Hoe heeft die totale afwijzing en vervreemding kunnen gebeuren? Laignel-Lavastine hekelt de Franse linkse elite, die uit angst voor achterstelling en islamofobie moedwillig blind is gebleven voor de verspreiding van radicaal gedachtegoed. Afzijdigheid gemaskeerd met goede bedoelingen; de luie aanname dat slachtoffers nooit ook daders kunnen zijn. Hetzelfde lijkt in Molenbeek gebeurd te zijn. Die bestuurlijke desinteresse is net zo fnuikend gebleken als de maatschappelijke afwijzing waar dezelfde jongeren mee te maken hebben.

Voor dat laatste hoef je niet in de banlieue te wonen; een jonge Fransman van Algerijnse afkomst die keurig binnen de Périphérique woont (in een van de torenflats waar ook Michel Houellebecq zijn intrek heeft genomen), legde mij een tijdje geleden uit dat hij, ondanks een opleiding aan de Sorbonne, zelden wordt uitgenodigd voor een sollicitatiegesprek – hij heeft zijn naam tegen. Er is niks radicaals aan hem, hij is fan van Ahmed Aboutaleb (en Carice van Houten), maar hij zit wel muurvast.

Maar hoe verhoudt die somberheid zich met alle hoopvolle geluiden? Er zijn spontane demonstraties, er is nieuwe saamhorigheid, petities worden ook door moslims massaal getekend. In *de Volkskrant* stond een mooi gesprek met een lerares in de banlieue. De reacties van haar leerlingen zijn nu heel anders dan na de aanslag op *Charlie Hebdo*, vertelde ze: 'Dit keer kunnen ze niet zeggen: dit gaat niet om ons. Ze moeten zich echt afvragen of dit bij de islam hoort.' En: 'Ze zijn 17, *merde*. Ze willen leven.' De terroristen drijven mensen door hun uitzinnige wreedheid en doodsdrift naar het midden. Hoelang? En is het genoeg om de 'fracture', de harde breuklijnen die door de Franse samenleving lopen, en in toenemende mate door de Nederlandse, te helen? Misschien moet je om te kunnen hopen eerst de angst dat het misgaat echt voelen.

Hoop moet je verdienen. Anders blijft het een zinloze wedstrijd tussen rooskleurige optimisten en zwartgallige haters.

Toen ik tegen middernacht het restaurant verliet, brandden trouwens alle kaarsjes weer.

•

Oorlog?

Terwijl in Parijse huiskamers ouders hun jonge kinderen moeten uitleggen wat een *suicide bomber* is ('dat zijn mensen die denken dat ze naar de hemel gaan als ze iemand doden – maar dat is niet waar, hoor'), vraagt CNN zich al openlijk af of de Derde Wereldoorlog begonnen is – zonder dat we het weten. Kijk naar de feiten, schrijft commentator Frida Ghitis op de CNN-site: terwijl in Parijs de beklemming na de ongekende terroristische aanval voortduurt, Brussel vier dagen volledig op slot heeft gezeten, heeft een NATO-land een Russisch gevechtsvliegtuig neergehaald. In de nasleep van dat incident vlamt de retoriek ongekend hoog op – gevolgd door tartende Russische daden, zoals het stilleggen van het toerisme naar Turkije en een boycot van goederen, vanwege een plotseling ontdekt gebrek aan kwaliteit door de autoriteiten – die truc kenden wij Nederlanders al.

De etterende oorlog in Syrië heeft de wereld in een houdgreep, zegt Ghitis. Want: 'Zo ziet een wereldoorlog eruit: eigenaardige allianties, tegenstrijdige doelstellingen, opportunistische bondgenootschappen.' Haar artikel is slechts een van de honderden commentaren, maar wat eraan opvalt is dat haar inktzwarte aanzegging nauwelijks meer opvalt. Een wereldoorlog?! Juist door het feit dat de geopolitieke situatie zo onhelder is, de taal inmiddels zo vervuild, liggen instinctieve associaties met de Eerste Wereldoorlog voor de hand. De titel van de bestseller van de Britse historicus Christopher Clark over de aanloop tot die oorlog, *Sleepwalkers*, heeft ons een nieuw angstsyndroom bezorgd: slaapwandelen we opnieuw een wereldoorlog in?

Met historische parallellen kun je twee kanten op. Je kunt ze zien als een geruststelling. We beschouwen de uitzinnige wreedheid van de jihadi's als een ongekende gruwel, maar in 1894 liep een Franse anarchist de restauratie van station St Lazare binnen, bestelde een biertje, dat hij meteen afrekende, stak rustig een sigaar op en gooide bij het naar buiten gaan een bom over zijn schouder.

Heel de verwrongen mentaliteit van de huidige generatie terroristen wordt al beschreven in Joseph Conrads roman *The Secret Agent* – uit 1906. Die roman eindigt met een onooglijke man die met een bomvest door de straten van Londen loopt, met in zijn hand het ontstekingsmechanisme: 'Hij had geen toekomst. Hij was een kracht. In zijn gedachten koesterde hij beelden van ravage en vernietiging.' Ik herlees die roman om de paar jaar, hij vertelt me meer dan het nieuws. Alles wat wij beleven is al eens gebeurd, alle gruwelen die ons te wachten staan, hebben eerder plaatsgevonden. En we zijn er nog steeds.

Maar hoe geruststellend is dat? De historische parallel is ook een waarschuwing. Conrads roman is een bijtende satire op wat de inleider van de Penguin-editie '*the politics of feeling*' noemt – gevoelspolitiek. Op dit moment zijn we van alle kanten omringd door gevoelspolitiek, het reli-nationalisme van Erdoğan, de volmaakte leugenmachine van Poetin en zijn handlangers, de pathetische praat van jihadisten.

Ook in het dagelijkse leven vliegen de hyperbolen je om de oren – het vrije Westen, de bedreigde natiestaat, aanval, landverraders, verkrachters, volk en vaderland. De gevoelspolitiek heeft het streven naar universele gelijkheid opgegeven en ingeruild voor een taal van bedreigde unieke eigenheid. Eigen gevoel eerst.

De werkelijkheid blijft nog achter op die taal. Maar overal wordt met woorden een werkelijkheid geschapen die een eigen leven begint te leiden. De taal van republikeinse presidentskandidaten heeft de overtreffende trap van hysterie en misleiding bereikt. Er wordt nu opgeroepen moslims te verplichten zich te registreren (Donald Trump op de vraag van een journalist die vraagt wat het verschil met een Jodenster is: 'You tell me'). Donderdag imiteerde Trump de bewegingen van een spastische journalist die de door hem verkondigde mythe van duizenden juichende moslims bij het ineenstorten van de Twin Towers had ontkracht. Op dezelfde dag noemde het Russische ministerie van Defensie de door Turkije vrijgegeven bandopname waarin het Russische gevechtsvliegtuig wordt gewaarschuwd een 'gebruikelijke fake'. Zij kunnen het weten.

Misschien is het expliciet speculeren op een wereldoorlog gewoon onderdeel van deze taalorgie, nog weer meer gevoelspolitiek.

Als je te vaak zegt dat het oorlog is, wordt het oorlog.

Maar we kunnen niet langer ontkennen dat we omringd zijn door een gevoelspolitiek waarin het al bijna oorlog is – en dat het gevaar reëel is dat al die agressieve hyperbolen in één klap werkelijkheid worden, als een bom in een vol restaurant.

•

List & bedrog

Geen wereldnieuws: in de Aldi Pasta met Truffel zit echte truffel – 0,0006 procent om precies te zijn. Appelsientje Halfzoet is in werkelijkheid niet half zo zoet, maar slechts een derde. Dat komt omdat het sap domweg is aangelengd met water. De Superfood Cranberry's van AH bevatten maar liefst 68 procent suikers en slechts 30 procent cranberry's, de Plus Pindakaas Light bevat inderdaad 30 procent minder vet, maar wel 451 procent meer suikers. Het fruit in Liga Melk-Aardbei ('een goede balans tussen vezels, granen en fruit') bestaat voor precies 0,03 procent uit aardbeienpoeder.

Deze producten zijn genomineerd voor het Gouden Windei, de jaarlijkse onderscheiding die voedselwaakhond Foodwatch uitreikt aan 'misleidende producten'. De organisatie ziet de publieksprijs als een ludieke aanklacht tegen de holle frases die de voedselmarketeers op de consument loslaten. Vorig jaar werd korte metten gemaakt met de Puur en Eerlijk-lijn van Albert Heijn, die niet puur was en al helemaal niet eerlijk.

Lachen! Wat als gezond wordt gebracht, blijkt een uitnodiging voor spontane diabetes, wat als zuivere luxe wordt voorgesteld, blijkt triest armzalig, authentiek betekent een smakeloos fabrieksproduct, ambachtelijk staat gelijk aan volkomen mechanisch geproduceerd, en wat slank moet maken, doet de knopen van je broek springen.

En haha, wat duurzaam moet zijn, blijkt bij uitstek vervuilend – want wat is precies het verschil in intentie tussen deze kleine oplichterij en de uitzinnige duurzaamheidsfraude van Volkswagen? De Duitse autofabrikant – en die niet alleen – ontdook met speciale software bewust de regels die vervuiling moeten tegengaan. Terwijl wie er een vergrootglas bij haalt echt wel ergens die 0,0006 procent truffel op het Aldi-etiket zal aantreffen. Maar het misbruik is in essentie hetzelfde – het bewust manipuleren van goede bedoelingen en oprechte verlangens.

Wie iets te verkopen heeft, weet dat immateriële verlangens moeten worden aangesproken, het streven naar gezond, puur, duurzaam, en een schonere en een betere wereld. De reclame heeft die boodschap tot een ware kunst verheven. Het woord zelf is tot daad gemaakt. Als je het maar lekker genoeg zegt, als je het maar aantrekkelijk brengt, is het net alsof het echt zo is.

De fraude van Volkswagen komt zo hard aan, omdat het laat zien dat het engagement met duurzaamheid door het bedrijf zelf als een lachertje wordt gezien, als een wettelijke verplichting waar je zo handig mogelijk onderuit moet zien te komen. Er is geen sprake van echt engagement, het is betrokkenheid als verkooptruc.

Het maakt korte metten met de populaire gedachte dat het streven naar een betere, gezondere en duurzamere wereld het best maar kan samengaan met commerciële belangen.

Die ballon wordt ook doorgeprikt in het boek *Heineken in Afrika* van onderzoeksjournalist Olivier van Beemen. Onze minister-president laat geen gelegenheid onbenut – eerst in de VN en nog eens tijdens de klimaattop in Parijs – de bierbrouwer aan te bevelen aan de wereld, omdat Heineken in Afrika laat zien wat ontwikkelingshulp eigenlijk zou moeten zijn: haal er het bedrijfsleven bij, en er gebeurt pas echt wat. Koningin Máxima, die eerder even gewillig als fataal poseerde met een glas Heineken-bier en Poetin, zei het hem na in Ethiopië, net als de immer volgzame minister Ploumen.

Het doorwrochte boek van Van Beemen kreeg weinig reacties. Dat multinational Heineken er in veel Afrikaanse landen onorthodoxe manieren van handeldrijven op na houdt, was de teneur, daar schrikt toch alleen een Hollandse leunstoelmoralist van? Maar daar gaat *Heineken in Afrika* maar ten dele over. Van Beemen laat zien dat ook bij Heineken de idealen volledig ondergeschikt zijn aan het winstbejag, dat er graag goede sier voor de buitenwereld wordt gemaakt met bar weinig, en dat de Afrikaanse welzijnsverbetering waarover Heineken en Rutte voortdurend tetteren, in werkelijkheid wellicht niet heel veel groter is dan het truffelgehalte in de pasta van de Aldi.

Op opiniesite Joop beschrijft Van Beemen het effect van deze duurzaamheidsretoriek: 'De liefde van de publieke sector voor het bedrijfsleven [...] leidt tot een riskante rolvervaging, die doorgaans in het voordeel is van de private sector. De overheid en ngo's willen immers laten zien dat ze de tijdgeest begrijpen en dat ook zij marktgericht kunnen handelen. Ze stellen zich in dienst van de onderneming.'

Het resultaat is de ultieme fake – onze goede bedoelingen met onszelf en de wereld commercieel gemanipuleerd, onze idealen gereduceerd tot louter handelswaar.

Leve de rechtstaat!

In *Bridge of Spies*, de nieuwste film van Steven Spielberg, wordt de moraal er ingehamerd – heel goed, want het is een moraal die nu eens niet sentimenteel is. Ik vat even samen: wanneer een samenleving zich bedreigd weet, wanneer achterdocht en woede de toon aangeven, moet je juist de grondvesten van die samenleving eerbiedigen, je juist stevig vasthouden aan de rechtstaat.

In het door de broers Coen geschreven verhaal, op ware gebeurtenissen gebaseerd, gaat het om een Russische spion die tijdens de koudste jaren van de Koude Oorlog voor de rechter gebracht moet worden. Voor iedereen staat de uitkomst bij voorbaat vast; het is zaak om de man zo snel mogelijk op de elektrische stoel te krijgen. Niemand wil zich aan de regels houden, de rechter niet, omdat hij bang is voor de publieke opinie, de CIA niet, die advocaat Tom Hanks vraagt vertrouwelijke informatie onderhands met hen te delen, en natuurlijk het volk zelf niet, dat zich dagelijks omringd weet door een onzichtbare vijand.

De spion is schuldig, daar bestaat geen twijfel over. Het gaat nu eens niet om een rechterlijke dwaling, om onschuld die tegen de klippen moet worden aangetoond. Daar zijn duizend films over gemaakt. Het gaat over hoe een rechtstaat omgaat met iemand die als een gevaar voor de natie wordt gezien.

Een vriendelijke film, met een dosis groteske Coenhumor, bewust ouderwets. Maar de moraal is voor nu. In tijden van crisis – en dit is een tijd van crisis – is een samenleving geneigd te hoop te lopen tegen haar eigen instituties. Wetten worden omgebogen, regels ontdoken, nood breekt immers wet. In Frankrijk heerst sinds de aanslagen van 13 november in Parijs de noodtoestand, die, verklaarde premier Valls, pas zal worden opgeheven als Islamitische Staat verslagen is – een vage stip aan de horizon. Ook trad de Franse minister van Justitie Taubira uit protest af, omdat de Franse grondwet wordt aangepast: wie voor een terroristische daad wordt veroordeeld, raakt zijn nationaliteit kwijt.

Elders, aan de flanken van de politiek, wordt de rechtstaat onbekommerd als een gevaar voor de veiligheid voorgesteld: Donald Trump stelt voor om *alle* moslims tijdelijk de toegang tot de Verenigde Staten te ontzeggen, 'tot we weten wat er aan de hand is' – weer zo'n vage stip. Maar het geldt ook voor de autoriteiten die de gebeurtenissen in Keulen en in andere Europese steden aanvankelijk wegmoffelden, om de lieve vrede te bewaren – met precies het tegenovergestelde effect.

Hier stelde Geert Wilders voor om *alle* mannelijke asielzoekers permanent op te sluiten in de opvang, om onze vrouwen tegen hen te beschermen. Hij kreeg nauwelijks tegengas van collega's – die gelaten lieten weten 'er weinig in te zien'.

Voorzichtig maar – want wie het aandurft hier de rechtstaat te verdedigen als iets wat onze vrijheden *waarborgt* in plaats van bedreigt, wordt ogenblikkelijk als hopeloos wereldvreemd weggezet. Er was Rutger Castricum van PowNed voor nodig om Wilders op de man af te vragen of hij misschien gek geworden was. Mensen opsluiten nog vóór ze iets gedaan hadden?

We zijn eraan gewend, een beetje murw. Het zijn voorstellen waarvan de bedenkers heel goed weten dat ze niet haalbaar zijn en niet zullen worden uitgevoerd. Maar dat is ook de bedoeling, dan kun je bij het volgende incident nog harder *zie je wel!* roepen. Het ligt niet aan hen, het ligt aan die verkalkte, blinde, zwakke rechtstaat die ons in de weg zit! Al dat honen en verbale beuken verzwakt de rechtstaat wel degelijk, omdat die dan steeds meer gezien wordt als een onwerelds instituut dat niet opgewassen is tegen het gevaar – de dreiging is immers zo groot dat nu alles geoorloofd is.

Het is die mentaliteit die Spielberg in zijn film onvervaard te lijf gaat. Hij stelt onze rechtstaat voor als iets wat boven onze aanvechtingen uitstijgt, als een verdienste om trots op te zijn, iets om voor te vechten – ook al maak je jezelf er in angstige tijden niet populair mee. Ik hoop dat de ambtenaren van ons ministerie van Veiligheid en Justitie hem ook nog even gaan zien.

IV

Het zwembadtrauma

Niet langer verbonden

Niet zo lang geleden keerde ik terug naar het dorp waar ik opgroeide. Dat dorp heet Zwanenburg, het ligt aan de rand van de Haarlemmermeerpolder. De aanleiding was het honderdjarig bestaan van Zwanenburg. Dat moest gevierd worden. Er was een symposium georganiseerd en ik trad, als zoon van het dorp, op als presentator. Een van de sprekers die middag was de commissaris van de Koningin, de VVD'er en oud-minister van Binnenlandse Zaken Johan Remkes. Tijdens het vragenrondje achteraf werd deze onverwachts geconfronteerd met het zogenaamde 'zwembadtrauma'.

Dat zit zo – ooit had het dorp, toen het zo'n negenduizend inwoners had, een eigen openluchtzwembad gehad. Ik had er leren zwemmen tijdens de jaren dat het nog onverwarmd was. Omdat ik last had van astmatische bronchitis, had de dokter mijn moeder aangeraden me vooral in zo koud mogelijk water te laten zwemmen. Ik herinner me hoe ik met mijn moeder op de grauwe dag van de seizoensopening rillend baantjes trok in een verder leeg zwembad. Later was ik lid geworden van de plaatselijke zwemclub, die natuurlijk De Swaenen heette. Ik had zelfs nog een paar jaar aan waterpolo gedaan.

Op het symposium bleek dat het al lang geleden gesloten was. Dat nu was het 'trauma' – het zwembad was, begin jaren negentig als ik het goed heb begrepen, niet langer rendabel gebleken. Nu had Zwanenburg geen zwembad meer – een wond die niet wilde helen. Wellicht omdat het verder ook al niet echt goed ging. Door de hinder van laag overvliegende vliegtuigen had het dorp al decennia niet kunnen uitbreiden, bezat het nauwelijks aantrekkingskracht op nieuwkomers. De detailhandel was ingezakt. Veel winkels waren verdwenen.

Een vrouw uit het publiek vroeg Remkes naar het verdwenen zwembad – kon dat niet terugkomen? De commissaris reageerde meewarig. Mensen hadden toch een auto? Als je wilde zwemmen dan reed je toch naar een dorp ergens verderop, waar er wel *een* was?

Achteraf kwam de vragenstelster op mij af. Ze was emotioneel. Remkes begreep niet wat het verlies van het zwembad betekende voor het dorp; het geld ervoor was ergens in de jaren zestig grotendeels door de inwoners zelf bij elkaar gelegd. Het zwembad hoorde bij het dorp, het was deel van zijn trots en identiteit geweest. Het was toch juist aan de overheid om de helpende hand uit te steken? Op het gezicht van de vrouw was woede te zien, maar ook iets van verbijstering – ze kon niet begrijpen dat de commissaris niet eens begreep waar ze over had.

Die kleine scène is me bijgebleven – omdat die zo mooi de kloof laat zien. Niet zozeer de afstand tussen burger en politiek, hoewel dat zeker ook zo is. Het liet vooral mooi de kloof zien tussen twee wereldbeelden. Aan het gezicht van Remkes was af te lezen geweest dat hij dat hele Zwanenburgs zwembadtrauma maar verwend gezeur vond. Het zwembad was niet rendabel geweest, jammer dan. Aangezien het niet betekende dat de inwoners van Zwanenburg nergens meer konden zwemmen, moesten ze de dingen maar nemen zoals ze waren. Daar werd de wereld echt niet slechter van.

Vanuit de vrouw zag het er heel anders uit – het ging wat haar betreft in de eerste plaats om een immaterieel verlies, vooral van eigenwaarde. Het dorp waarin ze haar leven doorbracht had iets van zijn trots verloren – zeker gezien de malaise waarmee de geluidshinder van Schiphol de bewoners daar opzadelde. Haar boosheid, dacht ik, werd niet zozeer veroorzaakt doordat een man als Remkes niet meteen zei dat hij er een subsidiepot voor zou opentrekken, maar dat hij niet eens leek te begrijpen waar de pijn zat.

Er zijn belangrijker kwesties dan het Zwanenburgse zwembadtrauma. Maar kijk naar de onderliggende emoties. Verlies van eigenwaarde, bedreigde eigenheid, een heftig gevoel van miskenning, niet gezien worden – het is al jarenlang de grondtoon van de onvrede. Het zwembadtrauma is overal. Je vindt het terug in de rellerige protesten tegen de opvang van vluchtelingen, de weerklank die de bewust opgeklopte verzetsretoriek van Geert Wilders vindt, de hysterische ondergangslyriek in de sociale media.

Omdat de uitingen van de onvrede meestal zo uitzinnig, zo kleinzielig, of domweg racistisch zijn, gaan de reacties meestal daarover – wat is er in deze mensen gevaren? Men staat er hoofdschuddend of ontzet bij, zoals Johan Remkes bij de boze Zwanenburgse vrouw –

wat een hysterie, wat een aanstellerij, wat een onfatsoen ook. Maar vrijwel nooit wordt de vraag gesteld: waarom lopen de emoties zo waanzinnig hoog op? Waar komen die overspannen hyperbolen vandaan? Waarom radicaliseren opvattingen zo snel?

Een gemeenschap, of het nu een lokale, een nationale of een internationale gemeenschap is, kan niet zonder een gevoel van verbondenheid. Wanneer dat gevoel wegvalt, of permanent miskend wordt, valt men terug op betekenisloze algemeenheden – of op imaginaire entiteiten zoals het Volk, als in 'dit is wat het volk wil', of de Kiezer, als in 'de kiezer heeft gesproken'. Of een tsunami, nog zo'n dreigende algemeenheid.

De negentiende-eeuwse Deense filosoof Kierkegaard begreep dat al. Hij schreef: 'Alleen wanneer het gevoel van verbondenheid in een samenleving niet sterk genoeg is om concrete realiteiten tot leven te wekken, kan de Pers abstracties als "het Publiek" creëren, dat bestaat uit onechte individuen die nooit verenigd zijn en kunnen zijn in een feitelijke situatie.'

Wat de gevolgen zijn van een dergelijk wegvallen van verbondenheid wordt heel mooi beschreven door de Amerikaanse filosoof Matthew Crawford in zijn ook in het Nederlands verschenen boek *De wereld buiten je hoofd* (2015), waar ik het citaat van Kierkegaard vond. Wanneer mensen dat gevoel van onderlinge verbondenheid met anderen niet lang werkelijk voelen, schrijft hij, 'begint ieder van ons zichzelf te zien als de vertegenwoordiger van iets algemeens. We brengen dit "vertegenwoordiger zijn" mee in onze ontmoetingen met anderen. Dit vervlakt onze relaties en maakt ze abstracter.'

Om bij mijn voorbeeld te blijven, de vrouw die ontsteld was over het onbegrip van Johan Remkes, zou dan al snel gezien kunnen worden als het prototype van de *boze burger*, die het niet langer pikt, die haar vertrouwen in de politiek kwijt is, enzovoort. Ze wordt een type, in alles anti. In plaats van verbondenheid is er enkel nog vervreemding.

Wanneer mensen zich meer en meer als de individuele vertegenwoordiger van een algemeenheid gaan zien – een positie, een overtuiging of een identiteit – wordt een werkelijk gevoel van verbondenheid met anderen moeilijk en misschien wel onmogelijk – er staat domweg te veel tussen mensen in, omdat ze elkaar niet meer als individuen kunnen tegemoetkomen, maar de ander louter als vertegenwoordiger van iets zien. De regent, de populist, de Gutmensch, de tokkie, de radicale moslim, de wereldvreemde elite, de onbestuurbare burger, de Hollander, de Marokkaan. En ook een individu harnast zichzelf dan met het gelijk van de groep, je gaat je gedragen naar het beeld dat men van je heeft. Er is dan geen sprake meer van een verbindende identiteit, maar juist van een atomisering van identiteiten, die hun kracht vinden in oppositie. Iedere uiting wordt een protestkreet, een blijk van ontzetting en verontwaardiging. Debat en dialoog zijn dan uitgesloten.

Algauw gaat het dan niet meer om een eenvoudig zwembadtrauma, waar op zich goed mee te leven valt, maar om een *existentieel* gevoel van miskenning, dat eigenlijk niet meer praktisch is op te lossen.

De burger voelt het gemis aan verbondenheid en kijkt vragend naar de politiek, die geen goed antwoord heeft en de bal vervolgens terugspeelt – waardoor de burger zich steeds onverzoenlijker opstelt, waardoor de politiek geneigd is zich nog verder in zijn eigen *bubble* terug te trekken en alles onderling te regelen, terwijl men onderwijl de burger steeds meer ziet als in wezen onbestuurbaar en ten diepste onredelijk, terwijl de burger zich op zijn buurt nog meer in de steek gelaten voelt en het zich onbegrepen voelen tot zijn identiteit maakt, waardoor het misverstand groter en groter, de kloof dieper en dieper wordt.

De laatste tijd wordt er steeds vaker wanhopig gewezen naar de zwijgende meerderheid. Vroeger stond dat begrip voor de niet uitgesproken, sluimerende onvrede, inmiddels is het andersom: het staat voor de stille redelijkheid van de meeste mensen, die in het gekrakeel niet langer gehoord lijken te worden, die geheel en al buiten beeld zijn geraakt door alle polarisatie van posities, of het nu gaat om Europa, de vluchtelingencrisis, of de plaats van de islam in het Westen. Dat zegt veel over deze tijd.

Het gaat er nu om die meerderheid een krachtige stem te geven, weerbaar te maken tegen intimidatie door radicalen, onverstoorbaar voor het theatrale ondergangsgejammer. Maar dat lukt alleen wanneer je oog krijgt voor de reële gevoelens van vervreemding om je heen, wanneer je afleert anderen te zien als louter vertegenwoordigers van iets. Zolang men blind blijft voor de onderliggende emoties van het zwembadtrauma, zal dat onbegonnen werk zijn.

Verantwoording

De afzonderlijke stukken in *Een waanzinnig gaaf land* verschenen tussen 2011 en 2016 in NRC *Handelsblad*. Ik dank de eindredacteuren van die krant voor hun aandachtigheid en hun bereidheid om, wanneer de actualiteit daarom vroeg, ver voorbij de deadline nog aanpassingen door te voeren. Hier en daar zijn kleine veranderingen aangebracht.

Bas Heijne